Blanche
Nouille

et la **visiteuse
enquiquineuse**

Monique Fournier

Blanche Nouille
et la **visiteuse enquiquineuse**

Trécarré
JEUNESSE
Une compagnie de Quebecor Media

Catalogage avant publication de Bibliothèque et Archives nationales
du Québec et Bibliothèque et Archives Canada

Fournier, Monique

    Blanche Nouille et la visiteuse enquiquineuse
    Pour enfants de 8 ans et plus.
    ISBN 978-2-89568-408-4
    I. Titre.

PS8561.O837B622 2009   jC843'.6   C2009-940198-3
PS9561.O837B622 2009

Édition : Miléna Stojanac
Révision linguistique : Nadine Tremblay
Correction d'épreuves : Dominique Issenhuth
Couverture : Chantal Boyer
Grille graphique intérieure : Axel Pérez de León
Mise en pages : Marike Paradis
Illustration de couverture : Christine Battuz

Cet ouvrage est une œuvre de fiction ; toute ressemblance avec des
personnes ou des faits réels n'est que pure coïncidence.

Remerciements
Les Éditions du Trécarré reconnaissent l'aide financière du gouvernement
du Canada par l'entremise du Programme d'aide au développement de
l'industrie de l'édition (PADIÉ) pour ses activités d'édition. Nous remer-
cions le Conseil des Arts du Canada et la Société de développement des
entreprises culturelles du Québec (SODEC) du soutien accordé à notre
programme de publication. Gouvernement du Québec – Programme de
crédit d'impôt pour l'édition de livres – gestion SODEC.

Les Éditions du Trécarré
Groupe Librex inc.
Une compagnie de Quebecor Media
La Tourelle
1055, boul. René-Lévesque Est
Bureau 800
Montréal (Québec) H2L 4S5
Tél. : 514 849-5259
Téléc. : 514 849-1388

Dépôt légal – Bibliothèque et Archives nationales du Québec
et Bibliothèque et Archives Canada, 2009

ISBN 978-2-89568-408-4

Distribution au Canada   **Diffusion hors Canada**
Messageries ADP   Interforum
2315, rue de la Province
Longueuil (Québec) J4G 1G4
Téléphone : 450 640-1234
Sans frais : 1 800 771-3022

À ma petite-fille Mia,
tout nouvellement arrivée en ce monde,
mais déjà tant aimée.

PROLOGUE

—◆—

S'il y a une chose que Blanche Nouille sait parfaitement, c'est qu'elle porte un nom plutôt ridicule. Mais bon, c'est comme ça. En fait, le nom de famille de ses lointains ancêtres était Noaille. Sauf qu'un jour, dans une petite commune médiévale d'Europe, il y a de cela bien des générations, le bourgmestre s'était malencontreusement trompé. En notant le nom du dernier-né de la famille sur le registre des naissances, il avait remplacé le *a* par un malheureux *u*. Voilà : Noaille était devenu Nouille pour la postérité, à tout jamais. Et puisque ses ancêtres n'avaient pas eu la présence d'esprit de faire corriger l'erreur, peut-être qu'au fond ils le méritaient, ce nom. À vrai dire, à force de devoir défendre son patronyme contre tous les plaisantins qui s'en étaient moqués depuis l'école maternelle, elle avait fini par s'y attacher. Aujourd'hui, elle le porte avec fierté et ne le changerait pour rien au monde. Question de principe !

Blanche Nouille est une riche héritière un peu bizarre, du moins aux yeux des gens qui se croient normaux. C'est une originale, en tout cas, c'est le moins qu'on puisse dire. Elle habite un immense manoir victorien situé sur le flanc ouest du majestueux mont d'Or. On ne lui connaît aucune parenté, mais elle est bien entourée de ses employés de ferme et de ses bêtes, qui lui font comme une famille. Du matin jusqu'au soir, elle s'active à mille et une choses, et elle s'enthousiasme pour tout : la nature généreuse, les animaux, les plantes de son jardin, et surtout les humains, ses semblables, êtres si particuliers et si fascinants.

D'ailleurs, elle a deux grandes passions dans la vie et la première est d'aimer les gens. Elle les aime avec démesure et sans condition, quels que soient leur âge, leur caractère, leur apparence ou leur origine. Elle les aime tellement qu'elle ne peut s'empêcher de leur venir en aide, parfois même malgré eux. Cela lui a d'ailleurs occasionné plusieurs ennuis, et elle a accumulé toute une collection de bévues, ces dernières années. Mais bon.

Sa deuxième grande passion, la plus ancienne, puisqu'elle remonte à ses plus jeunes années, c'est de s'asseoir confortablement – au jardin l'été, au coin du feu l'hiver – pour se plonger avec délectation dans la lecture d'un livre unique et extraordinaire, intitulé *Onaria, le monde parallèle*. C'est un lourd volume relié d'un cuir devenu tout luisant à force d'avoir été manipulé par des générations et des générations de Noaille devenus Nouille. Les pages sont faites de vieux parchemin tout jauni. Elles ont été tant de fois tournées et retournées que le coin de chacune en est corné ou même arraché.

Depuis qu'elle sait lire, Blanche Nouille a parcouru ce livre du début à la fin des milliers de fois, jusqu'à connaître par cœur et dans ses moindres détails tout ce qu'il raconte de la vie, des coutumes et des aventures d'un peuple mystérieux et charmant. Pendant de nombreuses années, elle a porté cet univers en elle, comme une présence l'habitant à chaque instant.

Contre toute logique, elle n'a jamais pu s'empêcher d'espérer que les personnages de ce livre extraordinaire existaient bel et bien, au fond... quelque part... d'une certaine manière. Même quand elle n'a plus du tout été en âge de croire aux histoires fantastiques, elle a continué d'avoir foi en Onaria, et de toutes ses forces. Cette certitude était si profondément ancrée dans son cœur qu'elle semblait indestructible.

Or, un beau jour, le miracle s'est produit. Cinq Onariens, en chair et en os, ont débarqué dans sa vie comme s'ils étaient tombés du ciel : Mélinda la Malingre, Frizouille le Vieuzomme, Clara la Devinière de l'espèce des Clairvoyants, Delphinia l'Elfe et Esbrouffe le Blitz. Ces cinq Onariens avaient besoin d'elle comme jamais personne auparavant. En effet, ils se pensaient poursuivis par leur ennemi juré, le Grand Schrapzzz, dernier représentant de la sinistre espèce des Escogriffes. Après les avoir miniaturisés à l'aide d'une potion magique, cet être malveillant les avait propulsés, bien malgré eux, dans le monde des humains, que les Onariens appellent le monde d'En Bas.

Blanche Nouille a aussitôt pris ses nouveaux amis sous son aile. Elle les a cachés dans son manoir et s'est lancée à la recherche du Grand Schrapzzz.

On imagine sa surprise quand elle s'est rendu compte que le Grand Schrapzzz était nul autre que son propre voisin, qui se faisait appeler monsieur Lenoir. Arrivé dans la région quelques mois auparavant, il avait été nommé depuis peu au poste de directeur de la banque de Val-Mont-d'Or. Bien que très énigmatique, ce personnage était si apprécié par ses concitoyens que plusieurs espéraient même qu'il deviendrait le prochain maire de la petite municipalité !

Mais Blanche Nouille a découvert que sous ces dehors aimables se cachait un être sordide, qui avait échafaudé un plan diabolique pour faire accuser d'innocents enfants de crimes qu'ils n'avaient pas commis.

Blanche Nouille a réussi à le démasquer avec l'aide de ses amis onariens et de Xavier, un jeune garçon de douze ans. Cependant, au moment où ils unissaient leurs efforts pour lui mettre la main au collet, le Grand Schrapzzz leur a échappé et s'est évanoui dans la nature.

Comme il est le seul à savoir où se trouve l'entrée du passage secret menant à Onaria, les protégés de Blanche Nouille sont à présent coincés dans le monde d'En Bas, sans aucune possibilité de rentrer chez eux. Heureusement pour eux, le grand manoir victorien où leur nouvelle amie les a hébergés leur permet de vivre en toute sécurité et à l'abri des regards indiscrets.

C'est du moins ce qu'ils croient, jusqu'à l'arrivée aussi subite qu'inattendue d'une fort détestable visiteuse qui vient chambouler leur havre de paix...

1

—

— Oh! Ça suffit! Ça devient assommant, à la fin, de passer sa journée à promener des pions sur un échiquier, s'écrie Delphinia en repoussant le jeu d'échecs placé devant elle sur la petite table que Xavier a installée dans la bibliothèque.

Ce dernier regarde le visage boudeur de sa partenaire. Avec un brin d'irritation, il se demande si elle cesse de jouer parce qu'il s'apprête à faire un coup génial ou si vraiment elle en a assez…

— Je croyais que tu raffolais des échecs, fait-il remarquer en s'efforçant de cacher son agacement.

— Les deux ou trois premières parties, c'est amusant, oui. Mais après vingt-cinq, ça me sort par les oreilles!

Xavier contemple les oreilles pointues de son amie. Leur habituelle teinte grisâtre a viré au bleu marine. Dire qu'il y a un mois à peine, il n'avait, de toute sa vie, jamais vu le plus petit bout de l'oreille d'une Elfe!

Il vaut mieux préciser, à propos de Xavier Marcotte, qu'à titre de capitaine et joueur vedette de l'équipe de foot Les Félins de Val-Mont-d'Or, ce jeune garçon de douze ans est intelligent, discipliné et raisonnable. Il peut très bien distinguer la réalité de la fiction. En conséquence, si de petits drôles avaient essayé de lui faire croire qu'il existait, dans un autre monde appelé Onaria, un peuple qui comprenait trois cent quatre-vingt-huit espèces d'êtres différents – incluant des Elfes –, il se serait moqué d'eux et les aurait traités de cinglés !

C'était avant qu'il décide, il y a quelques semaines, de suivre à la trace son entraîneur sportif, monsieur Zaratovski, parce qu'il le soupçonnait d'être l'auteur d'un méfait dont sa meilleure amie, Jolina Lazulli, avait été injustement accusée. Cette initiative l'avait plongé dans une incroyable aventure qui avait radicalement changé sa vision du monde.

À vrai dire, il s'était d'abord retrouvé dans une situation plutôt catastrophique. Pour confirmer ses soupçons, il avait eu la brillante idée d'aller fureter autour de la maison du patron de son entraîneur. Ce patron, il l'avait découvert de façon assez habile, était nul autre que monsieur Lenoir, le réputé directeur de la banque de Val-Mont-d'Or. Malheureusement, il n'avait rien pu trouver à cet endroit, puisque au moment où il cherchait le moyen d'entrer dans la somptueuse résidence du 324, chemin des Pâquerettes, il s'était bêtement fait pincer par Zaratovski lui-même. Ce dernier l'avait saisi et soulevé de terre comme s'il ne pesait pas plus qu'un ballon de foot dégonflé, ce qui était très humiliant pour un héros sportif comme lui.

Dans cette posture ridicule, il avait été entraîné de force dans la maison du banquier, où une scène hallucinante se déroulait. Il y avait là Blanche Nouille, une dame qu'il avait rencontrée peu de temps auparavant et qui lui paraissait gentille, sauf qu'elle avait la manie de poser trop de questions. Mais surtout, il y avait cinq êtres vraiment, vraiment bizarres – des Onariens, il le sait maintenant – qu'on aurait dit tout droit sortis d'un film fantastique ou d'un jeu virtuel.

À première vue, ils semblaient tous avoir été faits prisonniers, ou quelque chose du genre, par monsieur Lenoir. À première vue seulement, parce que, maintenu dans le vide comme il l'était par la poigne de fer de son colosse d'entraîneur, il n'était pas en position de bien juger de quoi que ce soit.

Ensuite était arrivé un petit homme nerveux qui portait une drôle de barbichette. Il ignorait encore à ce moment-là que celui-ci s'appelait Gaspar et qu'il était l'homme à tout faire de Blanche Nouille. Gaspar, armé d'un aspirateur terrifiant d'efficacité, avait maîtrisé

Zaratovski qui, tout à coup, n'en menait plus large du tout.

Puis, il y avait eu une bagarre générale. Au bout du compte, Zaratovski avait été assommé par un poêlon en fonte ; monsieur Lenoir – qui s'était révélé être lui aussi un Onarien, mais méchant celui-là – avait disparu ; et les Onariens qui restaient – les bons – avaient dû sortir en vitesse avant l'arrivée des policiers qui ne devaient surtout pas les voir, même s'ils n'avaient rien fait de mal.

Pour remercier Xavier de son aide, Blanche Nouille l'avait invité dans son grand manoir situé juste à côté, au 326, chemin des Pâquerettes. Elle lui avait servi une tisane ultra-relaxante. Il avait trouvé cette boisson un peu amère, mais très efficace pour détendre les nerfs, ce qui, après tout, devait être la raison principale de la boire si l'on en jugeait par son nom.

Assis à une grande table qui paraissait très ancienne, il avait alors eu l'occasion d'examiner à loisir – et de près – une Elfe, une Clairvoyante, une Malingre, un Vieuzomme et un Blitz. Cela l'avait grandement étonné et un même peu effrayé, pour tout dire.

Blanche Nouille lui avait présenté ses étranges amis. Elle avait précisé qu'ils venaient d'un autre monde et que si trop d'humains apprenaient leur existence, ils courraient un grave danger. Il avait fait la promesse solennelle de ne jamais parler d'eux à qui que ce soit car, avait dit la dame :

— Les secrets les mieux gardés ne sont-ils pas les secrets les moins partagés ?

Depuis, il était revenu en visite au manoir du Parc du mont d'Or – en cachette, bien entendu. Même qu'il y venait de plus en plus souvent depuis que Blanche Nouille lui avait permis de s'installer à côté du feu dans la grande bibliothèque pour lire un livre tout à fait fascinant, dont il n'avait jamais entendu parler auparavant. Ce livre, qui avait pour titre *Onaria, le monde parallèle*, était si captivant qu'il avait plusieurs fois été happé par l'histoire au point d'en perdre complètement la notion du temps. Résultat : à plus d'une reprise, il était arrivé en retard pour le souper, ce qui lui valait un interrogatoire en règle, car sa mère ne badinait pas avec l'heure des repas. Il s'excusait, bredouillait de vagues explications, sans mentir vraiment mais sans non plus dévoiler le secret qu'il avait promis de garder. Sa mère le regardait longuement, avec cet air un peu désolé qui lui prouvait – « hors de tout doute raisonnable », comme dirait son papa avocat – à quel point ses réponses étaient ridiculement maladroites. Mais elle n'insistait pas.

Quant à sa mésaventure dans la maison de monsieur Lenoir, où Zaratovski l'avait entraîné de force, il en était resté quitte pour une grosse frousse, et toute une collection de spectaculaires ecchymoses sur le bras gauche. C'est que les grands doigts de son entraîneur s'étaient littéralement imprimés dans sa chair lorsqu'il l'avait soulevé de terre. Les marques avaient viré du noir au bleu marine, du bleu marine au vert et du vert au jaune avant de disparaître complètement. Il les avait soigneusement cachées à la vue de ses parents pour éviter d'autres questions. Les parents, c'est bien connu, ont la fâcheuse manie de toujours demander comment vous vous êtes fait mal, histoire de bien vous rappeler que, la prochaine fois, vous devriez éviter de faire la même erreur, alors que vous aviez déjà compris tout seul. Mais bon. C'est un signe qu'ils vous aiment, alors il faut bien leur pardonner.

S'il voulait échapper aux questions, c'était surtout parce qu'il n'aimait pas mentir et qu'il n'aurait pas pu expliquer la provenance de ces bleus sans parler des mauvaises actions de Zaratovski ; ni parler des mauvaises actions de Zaratovski sans mentionner sa présence dans la maison de monsieur Lenoir ; ni mentionner sa présence dans la maison de monsieur Lenoir sans dévoiler qui celui-ci était vraiment – un Onarien –, ce que personne ne devait jamais apprendre.

Jusqu'à présent, il était assez satisfait de la manière dont il s'était dépatouillé.

Bref, tout ça pour dire que Xavier n'aurait jamais pu s'imaginer qu'un jour il contemplerait les oreilles d'une Elfe comme il le fait en ce moment. Et pourtant, non seulement il les contemple, mais il sait en plus que lorsque les oreilles de Delphinia virent ainsi au bleu marine, c'est un signe évident qu'elle fulmine. Il sait même que la cause de son exaspération ne tardera pas à être formulée d'un instant à l'autre. Elle est comme ça, Delphinia.

— J'étouffe ici! Je veux sortir! s'exclame-t-elle en tournant ses jolis yeux en amande vers la grande fenêtre qui donne sur la petite municipalité de Val-Mont-d'Or, tout en bas dans la vallée.

Esbrouffe le Blitz, qui suivait la partie d'échecs avec intérêt, les coudes sur la table et le menton appuyé dans ses mains, relève vivement la tête:

— Et pour aller où, veux-tu bien me le dire? Tu oublies qu'il y a des inspecteurs qui fouinent dans les environs, à la recherche d'indices, et que la maison d'à côté est gardée jour et nuit par des policiers. Au cas où il faudrait te rafraîchir la mémoire, les policiers sont ces gens en uniforme qui se mettent à nous pourchasser dès qu'ils nous aperçoivent...

Il est vrai que le Blitz et ses amis, depuis qu'ils ont été propulsés bien malgré eux dans le monde d'En Bas, ont plusieurs fois été traqués par des policiers sans jamais comprendre exactement pourquoi.

Esbrouffe tourne la tête vers Xavier :

— Vous êtes quand même bizarres, vous, les humains. Chaque fois que vous découvrez un être un peu différent, vous ne pouvez pas vous empêcher de le découper en petits morceaux pour voir comment il est fait, ce qui a tout bêtement pour effet de le tuer ; ou bien vous l'enfermez dans un zoo pour que tout le monde puisse l'observer, ce qui le rend inévitablement très malheureux ; ou encore, vous lui courez après parce que vous vous imaginez que c'est un terroriste. Des terroristes, d'ailleurs, vous croyez qu'il y en a partout ! Ne dis pas le contraire, je l'ai vu dans cette boîte à images que vous appelez télévision.

— Je ne fais pas partie de ces gens-là, rouspète Xavier en levant une main pour protester.

Delphinia pousse un profond soupir d'impatience.

— Je sais bien qu'on ne peut aller nulle part, Esbrouffe. C'est justement ça qui m'exaspère. Il faut rester enfermés ici, alors qu'il y a tant de choses passionnantes à découvrir dans le monde d'En Bas !

— Dans le monde d'En Bas, il n'y a pas que des choses passionnantes, jeune demoiselle, fait Frizouille en entrant dans la pièce. Il y a aussi le Grand Schrapzzz, qui se cache quelque part et qui ne manquera pas de se manifester tôt ou tard. Et le jour où il le fera, crois-moi, mieux vaut que tu ne traînes pas dans les rues de Val-Mont-d'Or.

Xavier aime bien celui qui vient de parler. Il est calme, gentil et sage, un peu comme un bon grand-papa, quoique les innombrables plis qu'il a sur sa peau le fassent paraître plus vieux que le plus vieux des grands-pères qu'il a jamais vus. Ce serait génétique, d'après ce qu'il a lu dans *Onaria, le monde parallèle* : les Vieuzommes comme Frizouille sont tous plissés de la tête aux pieds, dès leur naissance.

— Et vlan ! fait Esbrouffe sur un ton frondeur, pour approuver le rappel à l'ordre que son ami vient de faire à la jeune Elfe.

Mais Frizouille cherche plutôt à se faire réconfortant. Il s'approche de Delphinia et lui tapote affectueusement la main.

— Souviens-toi de ce qu'a promis Blanche Nouille. Ce n'est que pour un temps seulement.

Delphinia pousse à nouveau un grand soupir rageur. Toute à sa déception, elle n'entend pas le bruit de la porte d'entrée qui s'ouvre.

2

Blanche Nouille vient de tourner la clé dans la serrure. Elle pousse la porte de l'entrée principale du manoir, toujours verrouillée à double tour pour assurer la sécurité de ses invités.

En rentrant à la maison, elle est loin de se douter de l'exaspération de la jeune Elfe qu'elle héberge. Un large sourire sur les lèvres, elle est plutôt fière d'elle.

Elle arrive tout juste de Val-Mont-d'Or, où elle a été convoquée au bureau de la Sûreté municipale par l'enquêteur principal, monsieur Castonguay. Il voulait l'interroger à propos de ce que l'on appelle désormais, dans la petite municipalité d'à peine cinq mille habitants, « l'affaire Lenoir-Zaratovski ».

Tout avait commencé au mois de juin précédent. La communauté avait été secouée par une série de méfaits qu'on avait d'abord cru commis par des enfants. Le sujet avait très rapidement été sur toutes les lèvres et faisait régulièrement la une du journal local, *Le Clair Matin*. On avait parlé d'une véritable épidémie de méchanceté juvénile que personne ne savait comment enrayer.

Les seules informations disponibles indiquaient que les enfants responsables de ces crimes habitaient, sans exception, le Parc du mont d'Or. Chaque fois que les soupçons se portaient sur l'un d'eux, leurs parents s'empressaient de mettre la maison familiale en vente et quittaient la région le plus rapidement possible pour épargner toute honte à leur famille. Chaque fois, monsieur Lenoir, le distingué directeur de la banque de Val-Mont-d'Or, dans un geste perçu comme très généreux, faisait aussitôt racheter ces maisons par son institution en attendant que les choses se tassent. Personne ne semblait vouloir acquérir une propriété dans un lieu où un aussi détestable virus s'attaquait aux enfants.

Il y a quelques semaines, cependant, voilà que les véritables auteurs de ces actes répréhensibles avaient été démasqués, grâce à Blanche Nouille. Il s'agissait de nul autre que monsieur Lenoir lui-même et son homme de main, un certain Zaratovski, embauché depuis peu par l'école comme entraîneur de foot.

Les motifs qui avaient poussé Lenoir et son acolyte à agir de la sorte restaient mystérieux et les enquêteurs se perdaient toujours en conjectures. On ignorait pourquoi les deux complices avaient noirci, sans raison apparente, la réputation de jeunes jusque-là irréprochables.

Blanche Nouille, elle, le savait. Lenoir s'était fait passer pour un humain en dissimulant sa longue queue fourchue sous ses vêtements et ses pieds de bouc dans des chaussures spéciales, mais il n'avait rien d'humain. À Onaria, la population connaissait son vrai nom – le Grand Schrapzzz –, de même que sa véritable nature. C'était un être cruel qui détestait violemment les enfants, comme l'avaient fait avant lui tous ceux de la race des Escogriffes, dont il était le dernier représentant vivant.

Un jour, le Grand Schrapzzz, tout à fait par hasard, avait trouvé le légendaire passage secret menant d'Onaria au monde des humains et il avait visité celui-ci avec beaucoup d'intérêt. Rapidement, il avait appris à aimer tout ce que la richesse pouvait procurer dans le monde d'En Bas. Pour satisfaire ce nouvel appétit, il s'était mis à voler – petit à petit pour ne pas attirer l'attention – les galets d'or qui tapissent naturellement le lit des ruisseaux d'Onaria. Il s'était ainsi constitué une petite fortune qui lui avait permis de voyager, d'acquérir un manoir et de vivre richement. Puis, il avait fait une découverte stupéfiante : le Roc du Soleil levant, un rocher considéré comme sacré à Onaria, et le majestueux mont d'Or, situé dans le monde des humains, étaient en fait une seule et même formation rocheuse, partageant un unique et gigantesque cœur d'or pur. C'est alors qu'avait germé dans son esprit machiavélique une idée qui était vite devenue une véritable obsession. Il voulait posséder cet or, tout cet or !

En trouvant le moyen de chasser les familles du Parc du mont d'Or pour ensuite racheter leurs propriétés, il avait en tête de creuser le sous-sol des maisons, sous prétexte de travaux de rénovation urgents, mais dans le but réel d'en extraire tout l'or. Il voulait exploiter des mines secrètes, rien de moins !

Blanche Nouille se disait que si monsieur Lenoir avait visé les propriétés habitées par des familles, c'était sans doute parce qu'il détestait les enfants et que ceux-ci étaient des proies beaucoup plus faciles. Beaucoup d'humains adultes ont en effet la fâcheuse habitude de ne pas croire les enfants quand ils jurent n'avoir pas fait ce qu'on leur reproche d'avoir fait.

C'est sûrement pour mettre son plan à exécution qu'il s'était d'abord intégré dans la petite communauté de Val-Mont-d'Or, où il s'était rapidement fait apprécier jusqu'à y accéder au poste de directeur de la banque.

Blanche Nouille avait l'impression que plus il avait senti son objectif se rapprocher, plus il était devenu fou furieux et prêt à tout pour posséder ce trésor. Quand il avait constaté que Clara la Devinière de l'espèce des Clairvoyants, Frizouille le Vieuzomme, Mélinda la Malingre, Delphinia l'Elfe et Esbrouffe le Blitz se doutaient de quelque chose et étaient sur ses traces, il n'avait pas beaucoup hésité. Il les avait miniaturisés et expulsés dans le monde d'En Bas en prenant soin de les envoyer à Supercité, très loin de Val-Mont-d'Or où il s'était lui-même établi. Il était sans doute persuadé qu'ils ne pourraient pas survivre longtemps dans une grande ville au rythme assourdissant.

Blanche Nouille souriait quand elle se rappelait à quel point le Grand Schrapzzz s'était trompé. Comment aurait-il pu savoir que les cinq Onariens trouveraient le chemin de Val-Mont-d'Or et tomberaient, par le plus incroyable des hasards, sur une alliée comme elle ?

C'est en mettant ensemble tous ces éléments que Blanche Nouille avait fini par comprendre ce qui s'était passé mais, bien sûr, elle avait gardé ses conclusions pour elle. Pas question que l'enquêteur principal sache que Lenoir était en fait le Grand Schrapzzz, et un Onarien ! Elle avait des amis à protéger, et rien au monde ne l'en empêcherait ! Ce qui importait, après tout, c'était de rétablir la réputation des enfants et de punir les véritables coupables. Le reste, elle en faisait son affaire...

Ce matin-là, quand elle avait passé la porte du bureau de Castonguay, celui-ci s'était levé et lui avait aimablement offert un fauteuil. Il arborait toutefois un large sourire, dans lequel elle avait senti une pointe de moquerie. Cela lui avait beaucoup déplu.

— Ainsi, j'ai devant moi une véritable héroïne ! Celle qui a permis de démasquer un homme que nous respections tous, mais qui s'est révélé en réalité une véritable crapule.

Il y avait, dans la voix de l'inspecteur, un ton très légèrement agacé, comme s'il doutait de la culpabilité de monsieur Lenoir. Blanche Nouille avait décidé sur-le-champ de redoubler de prudence.

Elle s'en était tenue aux faits : la haine de monsieur Lenoir à l'endroit des enfants, les soupçons qu'elle avait eus, les documents qu'elle avait trouvés dans la maison du suspect, documents dans lesquels les propriétés du Parc rachetées par la banque étaient clairement marquées d'une croix.

— Vous parlez sans doute des dossiers que nous n'avons jamais retrouvés lors de notre fouille pourtant minutieuse des lieux ?

— Comme je l'ai déjà mentionné dans ma déposition, cher monsieur, mon voisin les a brûlés pour effacer les preuves de ses...

— Ça, c'est vous qui le dites, l'avait coupé un peu rudement l'enquêteur Castonguay. Je souligne par ailleurs que, pour trouver ces documents, vous êtes entrée par effraction dans une propriété privée, ce qui est tout à fait illégal. Vous n'ignorez pas, je suppose, que monsieur Lenoir pourrait porter plainte contre vous pour cambriolage.

— Je ne l'ignore pas, en effet, avait dit Blanche Nouille avec un petit sourire. Mais pour cela, il faudrait qu'il sorte de sa cachette ! Vous êtes-vous déjà demandé pourquoi diable un honnête citoyen se cacherait comme il le fait depuis près d'un mois s'il n'avait rien à se reprocher ? Et puis vous oubliez que son homme de main, monsieur Zaratovski, que ma cuisinière a courageusement assommé avant qu'il ne prenne la fuite comme son patron, venait d'enlever et de séquestrer Xavier Marcotte ! Pourquoi aurait-il fait une chose si grave, sinon parce que ce jeune et brillant garçon avait compris lui aussi que son entraîneur n'était pas celui qu'il prétendait être ?

Avant que son interlocuteur ait pu lui répondre, l'inspecteur Constantin avait frappé à la porte, était entré, s'était approché de son patron et lui avait glissé un mot dans l'oreille, laquelle avait tout de suite viré au cramoisi !

Castonguay avait remercié Constantin qui s'était aussitôt éclipsé. L'enquêteur principal avait grimacé un sourire à l'intention de la respectable dame toujours assise devant lui :

— Eh bien, merci, madame Nouille. Voilà qui conclut notre entretien.

— J'espère que vous n'avez pas reçu une mauvaise nouvelle, au moins, s'était inquiétée Blanche Nouille qui ne pouvait jamais s'empêcher de compatir avec quelqu'un qui avait des ennuis, même si cette personne lui était très antipathique.

— Non, non. C'est même plutôt une bonne nouvelle pour nous, avait répondu l'enquêteur principal avec un sourire figé qui lui donnait un air pas très intelligent. Zaratovski vient d'avouer ses crimes à l'inspecteur Constantin. C'est lui qui a commis tous les méfaits et qui a ensuite caché des preuves dans les effets personnels des enfants pour qu'ils en soient accusés.

— Ah bon? avait négligemment laissé tomber Blanche Nouille, mettant toute son énergie à ne pas hurler de joie. Et a-t-il dit pourquoi il a fait une chose aussi méchante?

— Selon ses aveux, monsieur Lenoir l'aurait payé pour cela, avait marmonné Castonguay du bout des lèvres. Je vous le répète, vous pouvez rentrer chez vous, madame.

— Si vous avez besoin de moi pour quoi que ce soit, n'hésitez surtout pas, avait offert Blanche Nouille.

Il avait vaguement agité la main en guise de réponse. Puis il s'était plongé très, très attentivement dans la lecture d'un dossier. Avant de sortir, Blanche Nouille avait remarqué que les feuilles de papier tremblaient dans ses mains, tant il rageait d'avoir été pris en défaut comme un débutant.

Elle avait fait une sortie triomphale en souhaitant une excellente journée à tous les policiers, inspecteurs, secrétaires et commis qu'elle avait croisés sur le court trajet entre le bureau de l'enquêteur principal et la porte d'entrée de la Sûreté municipale de Val-Mont-d'Or.

À présent, elle ne songe plus qu'à une chose, annoncer la bonne nouvelle à ses amis : non seulement Zaratovski a avoué ses crimes, mais il ne semble pas avoir dévoilé à la police leur présence chez monsieur Lenoir. Peut-être que le coup de poêlon en fonte asséné par Mathilde lui a fait oublier ce détail !

Tout à coup, Blanche Nouille entend la voix de Frizouille :

— Voyons, Delphinia. Un peu de patience. Je te répète ce qu'elle a promis : dès que l'enquête sera terminée et qu'il y aura moins de monde autour de la maison voisine, nous pourrons aller nous promener dans les bois, à l'abri des regards. Cela te fera beaucoup de bien de te retrouver dans la nature, comme chez nous, à Onaria. Évidemment, il faudra éviter de rencontrer les employés de la ferme qui ne connaissent pas notre existence, mais…

— Pffft ! le coupe Delphinia. Se promener dans les bois. Tu rêves ! Même si on pouvait sortir, on ne pourrait pas sortir.

— Je ne comprends pas, répond aimablement Frizouille. On peut ou on ne peut pas. C'est l'un ou c'est l'autre, mais pas les deux à la fois.

— Je veux dire que même si on avait le « droit » de sortir, on n'aurait pas la « possibilité » de sortir. Au cas où tu ne l'aurais pas remarqué, il fait extrêmement froid à l'extérieur !

— C'est vrai ça, admet Esbrouffe. Un froid de canard, comme disent les humains. D'ailleurs, voilà une expression complètement idiote. Qu'est-ce que ça veut dire, un « froid de canard » ? Ça ne veut rien dire du tout. Un canard, c'est un animal à plumes qui ressemble à nos Vira- delles, non ? C'est un animal à sang chaud, une Viradelle, ce n'est pas froid du tout.

— Un froid de canard, l'informe calmement le Vieuzomme, cela signifie qu'il fait froid comme au moment de la chasse au canard, laquelle a lieu généralement à ce temps-ci de l'année.

— Eh bien là, tu m'épates, mon cher Fri- zouille, s'exclame Esbrouffe, les yeux ronds d'étonnement. Y a pas à dire, depuis que tu as rencontré ta belle Blanche Nouille, tu ne penses qu'à tout, mais vraiment tout connaître sur les humains ! Et c'est quoi, la chasse ?

— C'est... hésite Frizouille, soudain embarrassé. La chasse... enfin, c'est... c'est tuer un animal pour le manger.

— Oh ! C'est dégoûtant ! s'écrie Esbrouffe qui, comme les autres Onariens, est résolument végétarien.

— Moi, je n'ai jamais chassé de ma vie, je vous le jure ! s'empresse cette fois de préciser Xavier, toujours assis devant le jeu d'échecs.

— Excusez-moi, s'énerve Delphinia en tapant du pied. Est-ce que votre discussion est bientôt terminée ? Parce que je vous signale que c'est de moi qu'il s'agit, ici. De moi et de ma très grande souffrance à rester enfermée plus longtemps ! Je sens que je vais finir par hurler. Et ça, je vous signale que c'est mauvais signe, parce que hurler, ce n'est pas du tout dans ma nature. Les Elfes sont des êtres très gentils et très calmes, qui parlent doucement et ne hurlent jamais, au grand jamais. Alors, je vous préviens : je ne sais pas du tout quel effet aura un grand hurlement sur mes poumons, ni sur le reste de ma personne, d'ailleurs. Mais je sens que très, très bientôt, je ne pourrai tout simplement plus me retenir de hurler !

C'est alors que Blanche Nouille décide d'intervenir. Elle ressort de la maison sans bruit,

pour que ses amis ignorent qu'elle les a entendus
– surtout quand il a été question de Frizouille qui
la trouverait belle. Puis, elle ouvre à nouveau la
porte d'entrée et la referme bruyamment.

— Bonjour, s'écrie-t-elle d'une voix joyeuse.
Venez tous. J'ai une excellente nouvelle à vous
apprendre !

3

Clara, Esbrouffe, Mélinda, Delphinia et Frizouille grimpent à la suite de Blanche Nouille
un tout petit escalier de bois – presque une
échelle – dont les marches étroites craquent
sous leur poids.

Blanche Nouille leur a annoncé les aveux
de Zaratovski et, peut-être, la fin prochaine
de l'enquête. De son côté, Xavier s'est éclipsé
en promettant à Delphinia, avec un sourire
mystérieux, qu'il allait bientôt amener le monde
jusqu'à elle.

Puis, leur amie les a invités à la suivre avec
l'air de quelqu'un qui a préparé une merveilleuse
surprise.

En soulevant une trappe au-dessus de sa tête,
elle leur dit innocemment :

— Il n'est pas bon pour vous de rester trop
longtemps enfermés dans le manoir. Après tout,
à Onaria, vous ne vivez pas dans des maisons.
Mais comme il fait plutôt froid dehors, vous
aurez besoin de vêtements chauds quand nous
irons nous promener dans le bois. Je tiens à

vous montrer de plus près les merveilleuses couleurs que prennent les arbres à l'automne. C'est un spectacle unique, que vous verrez pour la première fois, puisqu'il n'y a que des printemps chez vous. Je crois que nous trouverons ici tout ce qu'il vous faut.

Bientôt, ils émergent tous dans un immense grenier aménagé sous les combles de la vieille demeure. Il y a là de grands tableaux aux teintes sombres, présentant des personnages à la mine sévère, figés pour l'éternité dans des poses raides et dignes ; des patères où sont encore accrochés des chapeaux d'une autre époque, aux formes extravagantes, mais dont on ne voit plus la couleur sous l'épaisse couche de poussière qui les recouvre ; de très vieux jouets d'enfants, d'antiques berceaux de nouveau-nés ; et surtout, une quantité impressionnante de coffres et de malles qui semblent renfermer des trésors du passé.

Les Onariens sont ébahis.

— C'est extraordinaire, s'exclame Mélinda, impressionnée. On se croirait dans l'antre d'un Pétrious.

Les Pétrious sont d'immenses oiseaux qui ont la détestable manie de chiper et d'entasser dans les grottes d'Onaria, où ils habitent, tout ce que les autres ont le malheur de laisser sans surveillance : vêtements mis à sécher, bols d'écorce, paniers tressés, bijoux de coquillages, outils, enfin tout, quoi. Heureusement pour leurs victimes, il suffit d'attendre que les Pétrious soient sortis de chez eux pour aller récupérer son bien dans cette espèce de fourre-tout qui leur sert d'abri.

— Oui, répond Blanche Nouille, on peut dire ça. Sauf que moi, je n'ai rien volé. Tout appartient à ma famille, ajoute-t-elle en ouvrant une grande malle remplie de vêtements.

— J'espère que nous n'en priverons pas vos proches, au moins ! s'inquiète le toujours aimable Frizouille.

— Oh ! non, soyez sans crainte. Ce sont des vieilleries dont plus personne ne veut. Mais qui sont encore en très bon état, ajoute-t-elle vivement, craignant que ses hôtes s'imaginent qu'elle s'apprête à les vêtir de guenilles.

— Votre famille habite-t-elle loin d'ici ? demande encore Frizouille, toujours intéressé à en savoir davantage sur son amie.

Le visage de Blanche Nouille se ferme aussitôt et son sourire disparaît instantanément. Clara, qui a beaucoup d'intuition comme tous les Clairvoyants, croit même déceler à cet instant précis, dans les yeux de leur amie, quelque chose qui ressemble à de la tristesse ou à de la colère. Peut-être bien les deux à la fois...

— Les membres de ma famille sont tous très loin et c'est parfait ainsi, répond Blanche Nouille.

Puis, elle retire de la malle un grand manteau fait d'une grosse toile cirée, de couleur brune. En le tenant à bout de bras, elle se tourne vers Frizouille.

— Je crois que cette capote militaire vous irait parfaitement, lui dit-elle en retrouvant aussitôt son sourire.

— Militaire, c'est quoi ? demande le toujours curieux Esbrouffe, qui se met à rigoler en voyant le Vieuzomme affublé de ce long manteau qui lui donne un air très sérieux.

— Un militaire, c'est quelqu'un qui fait carrière dans l'armée, répond Blanche Nouille.

— Et l'armée ?

Blanche Nouille rougit à l'idée de devoir expliquer l'armée – et donc la guerre – aux pacifiques Onariens qui n'y comprendraient rien et en seraient horrifiés.

— C'est compliqué, et je crois que cela ne vous intéresserait pas vraiment, marmonne-t-elle en ajustant le manteau sur les épaules de Frizouille. L'important, c'est que ce vêtement est chaud, imperméable et pratiquement inusable.

— Merci infiniment, dit le Vieuzomme, avec un petit salut rendu un peu raide par la longue capote qui lui bat les mollets.

Delphinia aperçoit dans la malle un somptueux manteau de fourrure.

— Je peux? demande-t-elle vivement.

Blanche Nouille est un peu mal à l'aise, mais elle n'a pas le temps de prévenir l'Elfe. Celle-ci a déjà saisi et enfilé le chaud vêtement. Elle se pavane, tourne sur elle-même, marche de long en large:

— Vous ne trouvez pas que je ressemble à ces stars de cinéma qu'on voit dans les magazines?

Mais Esbrouffe s'écrie, comme le craignait Blanche Nouille:

— Ma parole! C'est la peau d'un animal mort que tu as sur le dos. On voit encore le poil!

Delphinia se fige un moment, puis hausse les épaules:

— Ah? Oui, c'est terrible, mais enfin, il est sûrement mort depuis très longtemps, le pauvre. Et puis quoi, chez nous, on utilise bien des os de Tripodium pour fabriquer des flûtes.

Delphinia a raison. Les Tripodiums sont de hautes bêtes à trois pattes, dont les fémurs, une fois percés de trous, font de longues flûtes au son grave et très mélodieux.

— Oui, mais on ne les tue pas pour prendre leurs os, s'écrie Clara, un peu dégoûtée. On prend ceux qu'on trouve.

— Eh bien, c'est pareil. Ce n'est pas moi qui l'ai tué ! Ce qui est interdit, c'est de nuire à un être vivant. Je n'ai quand même fait de mal à personne. Ce manteau est beau, il est très chaud, je le garde ! Si vous le permettez, évidemment.

— Oui, oui, bien sûr, répond Blanche Nouille, tout en tirant de la malle un magnifique et très ancien bâton de marche, orné de figures étranges sculptées à même le bois.

Son visage s'est complètement transformé tandis qu'elle manipule cet objet comme s'il s'agissait du plus précieux des trésors.

— Ceci est pour vous, Frizouille.

— C'est très beau, fait le Vieuzomme en le tournant délicatement entre ses mains pour mieux l'examiner. Qu'est-ce que c'est ?

— Un bâton de marche. Lorsque vous sortirez à l'extérieur, il faudra vous y appuyer. Cela vous donnera l'air d'un très vieil humain et vous passerez plus facilement inaperçu. Mais je vous prie d'y faire très attention. J'y tiens beaucoup, car il a appartenu à grand-père Nouille.

Ses yeux s'embuent de larmes lorsqu'elle prononce ce nom, mais un tendre sourire flotte en même temps sur ses lèvres, comme à l'évocation d'un merveilleux souvenir.

— C'est lui qui a gravé ces figures dans le bois, précise-t-elle avec fierté.

Son sourire s'estompe et un nuage semble passer dans son regard quand elle ajoute, avec du regret dans la voix :

— Il aurait fait un fabuleux sculpteur...

— Pourquoi « aurait » ? Il ne l'a donc pas été ? demande doucement Frizouille.

— Oh, c'est de l'histoire ancienne ! se contente de conclure Blanche Nouille en chassant cette idée du revers de la main avant de se pencher à nouveau sur la malle.

— Merci, murmure Frizouille, ému à son tour. Je promets de veiller sur ce bâton comme sur un ami très cher.

Bientôt, les Onariens ont trouvé dans les malles du grenier de Blanche Nouille tout ce qu'il leur faut pour affronter le froid. Soucieuse qu'ils n'attirent pas trop l'attention, elle a ajouté, en plus du bâton de marche de Frizouille, un bonnet de laine pour dissimuler les longues oreilles pointues de Delphinia. Elle se propose même d'acheter des lentilles cornéennes bleues pour Clara, afin de donner à ses yeux jaunes une belle teinte verte, moins frappante et plus humaine.

Mais au moment où ils sont tous redescendus au rez-de-chaussée, prêts pour leur première balade depuis des semaines, la cuisinière arrive précipitamment.

— Madame ! dit-elle. La journaliste Constance Potvin est ici. Elle veut vous interviewer.

Blanche Nouille se fige net. Constance Potvin! Il ne manquait plus que cela! Alors qu'elle vient d'être interrogée par l'enquêteur principal en parvenant à ne rien dévoiler de compromettant pour ses amis, voilà que cette commère de journaliste veut sûrement tenter de lui tirer les vers du nez, pour ensuite rapporter ses propos, déformés qui plus est, à la une du journal *Le Clair Matin* de Val-Mont-d'Or.

— Quelle effrontée! Elle n'a même pas pris rendez-vous. Dites-lui que je ne peux pas la recevoir en ce moment.

— Mais madame, chuchote en roulant de gros yeux une Mathilde visiblement prise de panique, elle est déjà là!

— Là? interroge Blanche Nouille qui ne comprend pas bien.

— Là! répond Mathilde en pointant le sol derrière elle d'un index tremblant. Elle m'a bousculée, et elle est entrée!

— Madame Nouille? lance depuis le corridor une voix joyeuse et haut perchée qui se rapproche dangereusement.

Tandis que Blanche Nouille s'empresse de faire sortir par la porte de la cuisine ses cinq amis, heureusement déjà emmitouflés, Mathilde se précipite au-devant de Constance Potvin pour lui barrer le chemin.

Blanche Nouille a tout juste le temps d'attraper Pouliotte, l'extravagante poule pondeuse qui lui sert d'animal de compagnie, avant que celle-ci ne s'élance dehors avec ses nouveaux amis.

C'est ainsi armée de son oiseau coloré qu'elle s'apprête à recevoir l'impertinente journaliste.

4

—•—

Xavier n'a pas accompagné ses amis dans le grenier. Il avait autre chose à faire. Tout au long des douze kilomètres qui séparent le manoir de Blanche Nouille, sur le chemin des Pâquerettes, de sa maison à lui, rue de la Gare à Val-Mont-d'Or, il a pédalé à une vitesse d'enfer. C'est qu'il a eu une idée géniale, vraiment géniale.

Aussitôt arrivé, il abandonne son vélo sans même prendre la peine de le cadenasser, grimpe les marches quatre à quatre, se précipite dans la maison et se rue vers sa chambre.

Mais à peine a-t-il traversé la cuisine et débouché dans le couloir que sa mère se jette sur lui pour le serrer tellement fort qu'il en a presque le souffle coupé. Puis, elle se met à l'embrasser comme une enragée sur les deux joues, sur le front, les oreilles, dans le cou. Elle n'a pas fait ça depuis ses cinq ans maximum, il en est sûr et certain. En plus, elle pleure à chaudes larmes, mais elle sourit en même temps. On dirait qu'elle ne l'a pas vu depuis cent cinquante-deux ans ! Même son père est là, beaucoup trop tôt pour que ce soit normal et lui aussi, il le serre dans ses bras. Avec un peu plus de retenue, c'est vrai, mais tout de même. Xavier trouve cela presque inquiétant, tellement c'est énorme.

Quand ils le lâchent tous les deux, ce qui lui permet enfin de respirer un bon coup, il se rend compte qu'une autre personne se tient debout dans le salon. C'est un homme avec un long manteau sombre et plutôt démodé. Cela lui rappelle vaguement un lointain souvenir de film d'espionnage ou une histoire d'enquête policière. D'enquête policière ? Son cœur se serre de plus en plus, à mesure que grandit dans tout son corps la très nette et très désagréable impression qu'il est sur le point d'avoir de gros ennuis !

— Mais Xavier, mon chéri, mon amour, mon petit garçon adoré ! Pourquoi ne nous as-tu rien dit ?

Il sait que sa mère l'aime beaucoup mais, même de sa part, trois petits noms d'amour comme ceux-là, envoyés coup sur coup dans une même phrase, ça aussi c'est beaucoup trop pour être normal ! Surtout qu'il a quand même douze ans maintenant, et un début de très léger duvet sous le nez.

— Rien dit à propos de quoi ? demande prudemment Xavier, qui a bien peur de déjà connaître la réponse à cette question.

— L'inspecteur Hubert vient de nous apprendre qu'il y a un mois, tu as été kidnappé par ton entraîneur de foot, celui qui est présentement sous les verrous pour cette histoire de méchanceté juvénile !

— Oh ! Ça… fait Xavier dont le cerveau roule à présent à une vitesse incroyable, plus vite que le plus rapide de tous les ordinateurs qu'il a jamais vus de sa vie.

— Si vous permettez, intervient l'inspecteur qui estime connaître son métier beaucoup mieux que des parents inquiets, j'aimerais poser moi-même quelques questions à votre fils.

— Oui, bien entendu, acquiesce le père avec un geste pour inviter tout le monde à s'asseoir.

Chacun prend place et Xavier s'efforce de regarder l'inspecteur droit dans les yeux, l'air calme, comme s'il n'avait absolument rien à cacher. Mais il a glissé ses mains sous ses cuisses pour ne pas montrer qu'elles tremblent, et il se pince la peau tellement fort qu'il sait déjà qu'il va en être quitte pour une autre belle collection de bleus !

— Peux-tu me dire ce qui s'est passé exactement ? lui demande gentiment le dénommé Hubert en se penchant un peu vers lui.

— J'ai seulement voulu défendre mon amie Jolina Lazulli, commence Xavier.

Comme Blanche Nouille ce matin-là dans le bureau de l'enquêteur principal, lui aussi s'en tient strictement aux faits. Jolina Lazulli est une petite Africaine qui a récemment emménagé dans la région. C'est aussi une fantastique joueuse de foot et elle est vite devenue sa meilleure amie. Elle est la dernière enfant que monsieur Lenoir a fait accuser de méchanceté juvénile. L'entraîneur Zaratovski a, de ses propres mains, maculé de rouge le sac de ballons neufs de l'équipe des Félins de Val-Mont-d'Or avant de les crever un à un à coups de couteau. Il a ensuite dissimulé l'arme du crime, de même qu'un nombre hallucinant de bombes de peinture rouge dans le casier de Jolina, de manière à la faire accuser, ce qui a parfaitement fonctionné. Alors, il s'est senti obligé de prendre sa défense.

— J'étais certain que Jolina n'avait pas touché à nos ballons de foot. Jamais elle n'aurait fait une chose pareille. Et avant que le directeur l'emmène dans son bureau pour prévenir ses parents, elle a eu le temps de voir apparaître un sourire sur le visage de mon entraîneur. Elle me l'a dit. Alors, j'ai suivi Zaratovski et j'ai découvert qui il était vraiment.

— Mais il t'a kidnappé, mon chéri ! Tu te rends compte ? ne peut s'empêcher de s'écrier sa mère, qui imagine immédiatement les pires scénarios d'horreur, même si rien de tout cela n'est arrivé puisque son fils chéri est assis, bien vivant, devant elle.

— Bof! Ça n'a duré que quelques minutes, répond Xavier sur un ton désinvolte, pour minimiser la chose. Madame Blanche Nouille était déjà là et elle s'est occupée de tout avec sa cuisinière et son homme à tout faire. Zaratovski a été assommé, monsieur Lenoir s'est enfui, la police est arrivée et je suis rentré à la maison. C'est tout.

— Et il n'y avait personne d'autre sur les lieux? questionne l'inspecteur. Certaines rumeurs disent qu'ils étaient assez nombreux.

— Comment ça? s'enquiert Xavier en cherchant à gagner quelques secondes, le temps de trouver un moyen de dire la vérité sans trahir son secret, deux choses qui ne vont décidément pas bien ensemble.

— Je te demande s'il y avait d'autres personnes dans la maison de monsieur Lenoir, précise l'inspecteur Hubert.

— Des personnes? Non, je n'ai pas vu d'autres personnes, répond Xavier en avalant sa salive et en essayant très fort de se convaincre que les Onariens n'étant pas des humains, ce ne sont pas vraiment des personnes. Ainsi, c'est vrai qu'il n'a pas vu d'autres personnes et il ne vient donc pas de mentir effrontément.

Après plusieurs autres questions qui le mettent au supplice, l'inspecteur se retire enfin.

Xavier prie très sincèrement ses parents de lui pardonner de n'avoir rien dit pour ne pas les inquiéter, tout en mentionnant que l'état dans lequel ils sont en ce moment prouve bien qu'il a eu raison.

Son raisonnement semble fouetter ses parents, qui reprennent aussitôt un air à peu près normal. Xavier saute sur cette occasion de tirer son épingle du jeu :

— Je peux sortir, à présent ? J'étais seulement venu chercher quelque chose.

— Oui, tu peux sortir, lui accorde son père, qui veut montrer à son fils qu'il a confiance en lui et que, par conséquent, la prochaine fois, son fils devrait lui rendre la pareille et tout lui dire tout de suite.

— Où vas-tu ? ne peut cependant s'empêcher de demander sa mère, avec une vive inquiétude.

— Chez mon amie, répond-il en se précipitant dans sa chambre.

— Tu devrais nous présenter Jolina. Nous aimerions bien la connaître.

— Mmmm... fait-il.

Il ressort aussitôt en courant et disparaît par la porte arrière.

Xavier enfourche son vélo et s'éloigne à toute vitesse, avec cette enivrante sensation de légèreté que doit éprouver un graffiteur qui vient non seulement de réaliser sa plus belle œuvre mais, en plus, a réussi à prendre le large juste avant de se faire pincer par la police. Aussitôt, il a un peu honte d'avoir eu cette pensée et il la chasse bien vite de son esprit.

Sourire aux lèvres, il file tout droit en direction de la maison où habite sa nouvelle amie, Delphinia.

5

—◆—

Obligée d'inviter l'intruse à prendre place au salon, Blanche Nouille a d'abord droit à des yeux tout ronds d'étonnement quand Constance Potvin aperçoit, dans les bras de son hôte… une poule !

— Oui, se croit-elle en devoir d'expliquer en posant Pouliotte à ses pieds. Certains ont des canaris, des colombes, des pigeons ou des perroquets, moi, j'ai une poule. Oiseau pour oiseau, je vous jure que celui-ci est plus sympathique et plus intelligent que tous les autres.

La journaliste n'émet aucun commentaire. En fait, pendant au moins dix minutes, elles sont assises toutes les deux, l'une en face de l'autre, dans le grand salon du rez-de-chaussée.

Blanche Nouille observe la journaliste, tandis que celle-ci remue avec application une cuiller d'argent dans la tasse de thé tchaï où elle vient de mettre – quel gâchis ! – quatre morceaux de sucre.

Constance Potvin est une jeune femme dans la vingtaine, au visage maigre et étroit, agité de tics nerveux et parsemé de taches de rousseur. Elle passerait totalement inaperçue si elle n'arborait pas une extravagante chevelure couleur carotte, d'où jaillissent des mèches ébouriffées d'un vert étonnant.

Elle a placé sur ses genoux tout un attirail dont elle a disposé chaque élément avec soin : téléphone cellulaire, minuscule ordinateur portable, micro, caméra numérique et, au cas où toute cette belle technologie flancherait sans crier gare, un carnet de notes et un stylo. La journaliste manque peut-être de politesse, mais elle a le sens de l'organisation, c'est le moins qu'on puisse dire !

Il y a une autre chose que Blanche Nouille est bien forcée d'admettre à propos de Constance Potvin. C'est qu'elle a un véritable don pour faire cracher le morceau à presque tous ceux qu'elle interviewe. Elle met juste ce qu'il faut de sympathie quand elle sent qu'elle a affaire à des gens éplorés qui ont un besoin viscéral de raconter leurs malheurs ; elle sait piquer au vif les orgueilleux qui lui diront alors tout ce qu'elle veut parce qu'ils sont impulsifs et qu'ils tiennent à avoir raison à tout prix ; et elle devine qu'avec d'autres, il suffit de presser juste assez fort sur leur point sensible.

À n'en pas douter, elle a du flair, mais aux yeux de Blanche Nouille, cela n'en fait pas pour autant une bonne journaliste. Il est évident que son seul but, c'est d'obtenir LE scoop qui fera la première page du journal local et qui se retrouvera peut-être même dans les autres journaux de la région si l'histoire est suffisamment croustillante. Pour arriver à ses fins, elle est prête à tordre légèrement – ou même beaucoup – la vérité, car elle n'a pas froid aux yeux. La seule chose qui lui importe, c'est de forcer l'admiration et de provoquer l'étonnement chez ceux qui la considèrent comme une petite journaliste de campagne sans envergure. Et si elle pense que celle qui habite au 326, chemin des Pâquerettes fait partie de ces gens-là, eh bien, elle a tout à fait raison !

Bien sûr, Blanche Nouille a, comme tout le monde, un point sensible. Dans son cas, c'est son amour incommensurable pour les gens et son irrépressible désir de leur venir en aide, parfois même malgré eux. La journaliste saura-t-elle exploiter ce défaut de la cuirasse de la dame dont elle vient de forcer la porte ? Là est la question.

Ayant suffisamment remué son sirupeux mélange, Constance Potvin secoue légèrement sa cuiller, la dépose dans la soucoupe et saisit délicatement l'anse de sa tasse entre le pouce et l'index, gardant le petit doigt en l'air pour bien montrer à cette dame riche qu'elle aussi a de la classe. Cela n'impressionne pas le moins du monde Blanche Nouille qui n'a qu'une idée en tête : ne laisser durer cet entretien imposé que le strict minimum requis par la politesse, et en dire le moins possible. Ensuite, elle pourra aller retrouver ses amis à l'extérieur.

La journaliste avale une petite gorgée de liquide et repose sa tasse, tandis qu'un léger sourire apparaît sur ses lèvres. Un sourire perfide, pense Blanche Nouille, au moment où la journaliste passe enfin à l'attaque sur un ton dangereusement aimable :

— Vous êtes un peu mystérieuse, madame Nouille, avouez-le ! Nous n'avons eu droit à aucune déclaration de votre part depuis les événements que vous avez provoqués. Et j'ai l'impression que vous en savez beaucoup plus que ce que vous avez daigné raconter à la police. Heureusement, les journalistes sont là pour informer le public, n'est-ce pas ? Puisque vous gardiez un silence obstiné, j'ai fait ma petite enquête en commençant par vos voisins, avec qui je me suis longuement entretenue afin de vous connaître un peu mieux. J'avoue ne pas avoir appris grand-chose...

La journaliste prend une autre gorgée de thé avant de laisser tomber, sur le ton le plus banal qui soit :

— ... à part cette étrange histoire d'aspirateur que m'a racontée madame La Tronche. Vous confirmez les faits ?

Et vlan ! Blanche Nouille s'attendait à toutes les questions, sauf à celle-là. Elle avait préparé toutes les réponses, mais rien de rien à propos de ce déplorable incident. L'hiver précédent, toujours pour être serviable, elle a pris la malheureuse initiative de faire réparer par Gaspar l'aspirateur défectueux de sa troisième voisine. Son homme à tout faire y a installé un moteur un peu trop puissant, avec pour résultat que l'aspirateur a avalé tout rond le chat de cette chère madame La Tronche, qui lui en veut à mort depuis ce jour.

— Le chat a survécu, fait nerveusement Blanche Nouille, la bouche pincée de dépit. Je ne crois pas que cet événement soit d'intérêt public, mademoiselle Potvin, et je doute fort que vous soyez venue jusqu'ici pour m'entretenir de ce sujet privé, qui s'est d'ailleurs conclu par une entente à l'amiable.

— Oui, vous lui avez acheté un nouvel aspirateur, je sais. Mais enfin, cela n'a pas rendu à ce pauvre chat le bout de queue qu'il a perdu dans l'aventure !

Blanche Nouille encaisse l'attaque sournoise sans broncher.

Cette peste essaie de me blesser pour me faire réagir, se dit-elle, *mais ce qu'elle ignore, c'est qu'il*

y a présentement dans ma vie beaucoup plus impor-
tant que les mesquineries d'une voisine rancunière,
ou que la curiosité malsaine d'une journaliste en
mal de scoop.

Tout comme avec l'enquêteur principal Castonguay, il n'est pas question pour elle de dévier
d'un poil de son objectif : protéger ses amis
contre les méchancetés, petites ou grandes.

Elle se contente donc de regarder tranquillement la journaliste, comme si elle attendait
la prochaine question... qui ne vient pas.

Sans perdre son calme, Blanche Nouille continue de se taire. Elle en profite pour passer en
revue la brève carrière de sa visiteuse au journal
Le Clair Matin de Val-Mont-d'Or. Si sa mémoire
est fidèle, jusqu'au printemps, Constance Potvin
n'avait été affectée qu'aux faits divers et avait
dû se contenter de rapporter les derniers ragots
de la région : les malheurs de monsieur Latreille,
qu'on avait retrouvé complètement saoul dans un
fossé un bon samedi où il avait trop fêté ; l'histoire
d'une vache qui s'était échappée de son enclos
et avait ravagé le champ de fraises d'un fermier
voisin ; les résultats des derniers tournois de
foot, de hockey, de ballon-balai ou de lancer de
la patate, et le nom du gagnant du prix de la plus
grosse tarte à la citrouille de la foire annuelle du
canton. Elle n'avait même jamais eu le privilège
de couvrir les élections municipales.

Cependant, la demoiselle a de l'ambition. Pour elle, les méfaits qui se sont succédé à un rythme effarant à Val-Mont-d'Or ont été l'occasion rêvée de se faire connaître. Elle s'est emparée de l'affaire et en a mis plein la vue à ses lecteurs, dont le nombre a fait un bond prodigieux. Cela a enchanté ses patrons qui ont vendu plus de journaux et ont fait de plus grands profits. Pour la récompenser, ils l'ont promue au rang de reporter.

Fière de ce titre, elle se croit depuis ce temps-là autorisée à poser à droite et à gauche des questions indiscrètes et déplacées.

Lorsque Blanche Nouille ouvre la bouche pour parler, elle sait parfaitement que le silence de la journaliste n'est qu'une tactique pour la pousser à reprendre l'initiative de la conversation. Mais ce qu'ignore mademoiselle Potvin, c'est que Blanche Nouille a décidé de passer à la contre-attaque et que, lorsqu'il est question de défendre ses amis, elle aussi peut se montrer d'une habileté redoutable. Elle hoche la tête d'un air compatissant et dit à la jeune femme :

— Mademoiselle Potvin, j'imagine que vous êtes présentement dans l'eau bouillante. Après tout, c'est vous qui avez écrit tous ces articles mettant en cause des enfants innocents. C'est vous qui avez suggéré que nous étions aux prises avec une épidémie de méchanceté juvénile. Ce qui, nous le savons maintenant, n'était heureusement pas vrai.

L'effet est instantané. Sous sa tignasse rousse, la figure de Constance Potvin passe au vert, un vert presque aussi éclatant que ses mèches couleur de lime.

— J'a... j'avais mm... mes sources, bégaye-t-elle.

— Bof! des appels anonymes. Voyons, ce n'est pas sérieux.

La journaliste est piquée au vif. Mais elle est tenace : elle retrouve son mordant avec une rapidité que Blanche Nouille ne peut s'empêcher d'admirer.

— Les informations que j'ai pu donner à la police se sont avérées. Vous ne pouvez pas dire le contraire! Les agents ont bel et bien retrouvé les bras de la statue vandalisée de Georges Degrandpré dans le sac de sport de Maxime Lefrançois, la clé anglaise qui avait servi à déboulonner les bornes-fontaines de la rue Principale sous le lit de Justin Grandbois et...

— Tss! tss! tss! l'interrompt gentiment Blanche Nouille en agitant un doigt. Malheureusement pour vous, ma chère, c'était chaque fois quelqu'un d'autre qui avait caché ces pièces à conviction pour faire accuser les enfants. Vous avez été utilisée pour colporter des mensonges, voilà la triste vérité. Cela montre l'habileté du

Grand... (elle a failli dire du Grand Schrapzzz!) euh... de monsieur Lenoir... Il vous a manipulée en vous faisant miroiter le scoop et la gloire, et vous êtes tombée dans le panneau comme une débutante!

— Cette histoire du directeur de la banque qui aurait engagé l'entraîneur Zaratovski comme homme de main ne tient pas debout, répond la journaliste. D'ailleurs, la directrice adjointe, mademoiselle Lacoste, qui travaillait depuis des mois en étroite collaboration avec monsieur Lenoir, jure qu'il aurait été incapable de faire une chose aussi horrible. Et puis, il n'avait aucun mobile. Pas de mobile, pas de crime!

— Pourquoi a-t-il lâchement pris la fuite, alors? Je vous le demande.

— Mademoiselle Lacoste est convaincue qu'il a été enlevé par des preneurs d'otages.

— Pauvre femme! s'exclame Blanche Nouille en pensant à la réaction qu'aurait la directrice adjointe si elle voyait le Grand Schrapzzz avec sa queue fourchue et ses pieds de bouc. Je la soupçonne de s'être entichée de son patron. Le chagrin l'aveugle, j'en ai bien peur.

— Ah bon? Vous croyez que mademoiselle Lacoste et monsieur Lenoir...? s'écrie la journaliste qui empoigne aussitôt son micro et le tend avec aplomb sous le nez de son interlocutrice.

Celle-ci flaire tout de suite le danger et répond avec fermeté :

— Je ne ferai aucune déclaration à ce sujet. Par contre…

Pour faire durer le suspense, Blanche Nouille prend une longue gorgée de thé qu'elle savoure un moment avant de poursuivre.

— Par contre, je peux vous dire ceci. Sans vouloir vous faire de peine, mademoiselle Potvin, sachez que je sors à l'instant du bureau de l'enquêteur principal Castonguay. Et il m'a appris une nouvelle renversante !

— Ah bon ? fait la journaliste en avalant sa salive.

— Oui. Monsieur Zaratovski vient d'avouer ses crimes.

À cette nouvelle, qui prouve l'innocence des enfants et, du coup, le total manque de jugement professionnel de la journaliste, le visage de cette dernière ne vire pas au vert, il devient si pâle que même ses taches de rousseur semblent se décolorer à vue d'œil.

Comme il fallait s'y attendre, l'incorrigible bonté de Blanche Nouille reprend instantanément le dessus. Elle craint d'y être allée un peu fort. Elle se lève aussitôt pour porter secours à la pauvre journaliste qui, très certainement, va se trouver mal et s'étaler de tout son long sur le tapis persan qui décore le salon depuis au moins quatre générations de Nouille.

Est-ce qu'on peut être cardiaque à vingt ans ? se demande-t-elle avec angoisse.

Mais en se penchant sur le fauteuil où Constance Potvin est en train de tourner de l'œil, elle aperçoit par la grande fenêtre les cinq Onariens qui se rapprochent dangereusement de la maison. Ils sautillent sur place, se frottent les mains, se tapotent les épaules. Ils sont frigorifiés, c'est évident. Ils veulent rentrer ! Si la journaliste, qui semble quelque peu retrouver ses sens, tourne un tantinet la tête sur sa gauche, elle les verra à coup sûr ! Blanche Nouille voit déjà les manchettes de la prochaine édition du journal local : *Des extraterrestres tentent d'envahir la maison d'une honnête citoyenne !*

Blanche Nouille doit absolument détourner l'attention de la fouineuse, qui reprend de plus en plus de couleurs. Elle se jette sur la théière encore fumante et revient vers Constance Potvin pour remplir la tasse vide qui se trouve en équilibre précaire sur ses genoux.

— Vous prendrez bien encore un peu de thé avant qu'il ne refroidisse, s'écrie-t-elle joyeusement, en tendant au-dessus de sa visiteuse la jolie théière en porcelaine de Chine.

Malheureusement, Pouliotte ouvre un œil au même moment. Elle sait très bien que lorsque

Blanche Nouille prend ce ton faussement enthousiaste, c'est toujours signe qu'il va y avoir de l'action. Et chaque fois qu'il y a de l'action, la pondeuse se fait un devoir de voler au secours de sa chère amie avec la férocité d'un pitbull. Encore un peu dans les vapeurs du sommeil, elle se précipite d'une démarche mal assurée au-devant d'elle. Mais dans sa hâte, elle pique du nez juste entre les jambes de Blanche Nouille. Résultat : celle-ci perd pied et s'étale de tout son long dans les bras de Constance Potvin, tandis que le contenu de la théière se déverse sur les cuisses de la journaliste.

Cela a pour avantage d'achever de la ranimer, mais pour inconvénient d'inonder ses appareils électroniques, son carnet de notes et son chic pantalon de soie écrue.

Elle pousse un hurlement de douleur.

— Aaaaaaah ! C'est brûlant !

— Je suis désolée, vraiment désolée… s'écrie Blanche Nouille en saisissant un paquet de serviettes de table et d'essuie-tout. J'ai perdu l'équilibre et… Là, vous voyez, j'ai de quoi vous éponger, ajoute-t-elle en tapotant énergiquement le pantalon et les appareils de la jeune femme, qui la repousse aussitôt.

L'air furibond, la journaliste rassemble ses effets encore tout dégoulinants, se lève et quitte la pièce sans demander son reste.

— Vous ne voulez pas terminer l'entrevue ? s'enquiert Blanche Nouille d'un ton poli.

— Non ! répond l'autre brusquement en se dirigeant tout droit vers la sortie.

Elle a une démarche hésitante et, à chacun de ses pas, on entend un curieux bruit de succion, sans doute à cause du thé qui a dû inonder aussi ses jolies chaussures de cuir.

Elle ouvre la porte, se tourne vers Blanche Nouille, la mèche hirsute et l'œil hagard, avant de lancer, entre ses dents :

— Il n'y a qu'une seule personne qui m'a mise dans l'eau bouillante, madame Nouille, et c'est vous ! Mais vous me reverrez, je vous le promets ! La vérité triomphera. Elle triomphe toujours.

Le nez en l'air, elle sort en claquant la porte derrière elle.

— J'espère bien que la vérité triomphera, murmure Blanche Nouille pour elle-même. Mais peut-être pas « toute » la vérité.

Sur ce, elle tourne les talons et s'empresse d'aller ouvrir à ses amis avant qu'ils ne soient complètement congelés.

6

—◆—

À peine les Onariens sont-ils entrés par la porte arrière que Blanche Nouille entend à nouveau sonner à l'avant.

— Laissez, Mathilde, je m'en occupe, s'écrie la maîtresse des lieux, bien décidée à repousser avec véhémence toute nouvelle intrusion de cette commère de Constance Potvin. Mais lorsque, l'œil menaçant, elle ouvre la porte toute grande, c'est Xavier qu'elle trouve sur son palier.

— J'arrive à un mauvais moment? s'inquiète le garçon en voyant son regard furieux, surprenant chez cette dame habituellement si aimable.

— Pas du tout, lui dit-elle en retrouvant instantanément son sourire. Entre, je t'en prie.

Il lui montre fièrement le nouvel ordinateur portable que ses parents lui ont acheté au début de l'année scolaire.

— J'ai trouvé de quoi distraire Delphinia, dit-il, tout content.

Il ne s'est pas trompé. Une heure plus tard, alors que tout le groupe est installé dans la salle à manger et que Mathilde a apporté pour chacun une tasse de chocolat chaud à la guimauve, l'Elfe est totalement conquise. Grâce à ce petit écran miraculeux, elle a déjà eu un bref aperçu des gratte-ciel de New York et des pyramides d'Égypte, des châteaux d'Écosse et des lions d'Afrique, des boutiques dernier cri de Londres et de la tour Eiffel se dressant au cœur de Paris. Elle s'apprête à visiter les studios de cinéma d'Hollywood avant d'assister au concert d'une mégastar de la musique pop. Son ami internaute lui a même montré où se situe exactement, sur ce qu'il appelle la planète Terre, le grand manoir victorien où elle est hébergée avec ses amis.

L'Elfe ne se sent plus du tout prisonnière et elle accueille avec de petits rires émerveillés chaque nouveauté que lui fait découvrir Xavier.

— Tu vois ? lui dit-il, très fier de l'enthousiasme qu'il a provoqué. Si tu ne peux pas visiter le monde de manière réelle, tu pourras quand même le faire de manière virtuelle.

Même Frizouille, Clara, Esbrouffe et Mélinda se sont approchés pour admirer les images incroyables qui défilent sur le portable.

Blanche Nouille est assise au bout de la table, calme et souriante. Elle regarde tour à tour chacun de ses chers Onariens, véritables naufragés dans un monde qui leur est hostile et auquel ils s'adaptent pourtant avec un courage admirable.

Ils sont tous différents, mais tellement atta-
chants ! Delphinia veut tout connaître de ce
qui peut intéresser une adolescente. Elle est en
train d'apprendre, à une vitesse inimaginable,
comment clavarder sur Internet. Frizouille, lui,
s'est mis en tête de comprendre le comporte-
ment des humains, ce qui n'est pas une mince
tâche. Il se documente en dévorant les livres
qui se trouvent sur les rayons, heureusement
bien garnis, de la bibliothèque. Il enfile aussi,
les uns après les autres, les films de l'imposante
collection qui tapisse les murs du boudoir où
trône un immense téléviseur. Cela lui donne
évidemment une vision un peu particulière de
la réalité, mais prouve son désir de s'intégrer
dans un monde où il devra peut-être rester
encore un bon bout de temps.

Clara, de son côté, ronge un peu son frein,
Blanche Nouille en est bien consciente. Elle
est obsédée par l'idée de retrouver sa boule de
cristal. Il s'agit d'un objet très précieux et quasi
sacré pour les Clairvoyants, qui en avaient confié
la garde à Clara, ce qui est un immense honneur.
Le malheur, c'est que le Grand Schrapzzz la lui
a sournoisement dérobée. Elle est convaincue
qu'il l'a cachée quelque part dans sa grande
maison du 324, chemin des Pâquerettes, et qu'il
n'a pas eu le temps de l'emporter dans sa fuite.
Elle est bien décidée à sonder chaque planche

de chaque mur, s'il le faut, pour la retrouver. Mais elle a promis à Blanche Nouille de ne rien tenter, tant et aussi longtemps qu'il y aurait enquête et présence policière dans les parages. Jusqu'à présent, et malgré sa vive impatience, elle a respecté sa promesse en faisant preuve d'une discipline exemplaire.

Esbrouffe, pour sa part, critique constamment les humains. Il leur trouve tous les travers possibles et note leurs nombreuses contradictions, souvent avec beaucoup de justesse d'ailleurs. Mais cela semble l'amuser plus que vraiment le contrarier. En fait, il éprouve une certaine fierté à montrer son sens de l'observation. Blanche Nouille le soupçonne d'être secrètement fasciné lui aussi par le monde d'En Bas, malgré ses remarques bien envoyées.

Quant à la douce et timide Mélinda, elle est de nature plutôt casanière. L'obligation de rester, autant que possible, cachée au manoir a l'air de lui convenir parfaitement. Le monde extérieur l'effraie trop pour qu'elle ait vraiment envie de s'y risquer. Pourvu qu'elle se sente en sécurité entre les murs de la vieille demeure et que personne ne soit à sa poursuite, elle n'en demande pas plus. Elle semble même avoir trouvé une activité qui lui plaît.

Dès son arrivée, elle a éprouvé de la sympathie pour Mathilde qui, même si elle est toute menue, n'avait pas hésité à prêter main forte à sa patronne en pénétrant chez le Grand Schrapzzz, armée de son gros poêlon en fonte. Le malheur, c'est que chaque fois que la Malingre l'approchait – même doucement –, la cuisinière sursautait violemment. Cela semblait plus fort qu'elle. Blanche Nouille voyait bien que son employée avait du mal à s'habituer aux Onariens, même si elle n'avait jamais émis la moindre critique à leur égard.

Et puis, un matin, Mélinda avait saisi un torchon sans rien dire, et elle s'était mise à nettoyer le comptoir de la cuisine. Mathilde l'avait d'abord regardée faire, puis elle avait esquissé un petit sourire. C'est ainsi qu'elle s'était graduellement laissée apprivoiser. Et l'Onarienne a fini par se prendre à son propre jeu. À présent, rien ne la rend plus heureuse que de frotter, balayer, astiquer pour que tout brille de propreté. C'est devenu une véritable passion. Elle a même commencé, il y a quelques jours, à aider Mathilde à la préparation des plats. Elle coupe les légumes, apporte les pots d'épices, vide les épluchures dans le bac à compost. Elle semble prendre un grand plaisir à faire ces tâches quotidiennes qui la calment et la rassurent en lui faisant croire qu'elle mène une vie normale… ou presque.

C'est à cela que pense Blanche Nouille en regardant tendrement ses amis. Ils paraissent très bien aller, vu les circonstances. Les voilà même qui éclatent de rire tous ensemble en voyant le dessin maladroit que Delphinia tente d'exécuter à l'ordinateur.

Elle est contente d'avoir réussi à écarter les menaces représentées par l'enquête et par les indiscrétions de Constance Potvin.

Je les rendrai heureux, se dit-elle. *Tout ira bien.*

Elle soupire de soulagement. Elle se rend compte à quel point elle aime ses nouveaux amis et combien ils ont pris de la place dans sa vie. Et à cet instant précis, elle se dit que ce doit être ça, le parfait bonheur.

C'est alors que le carillon de la porte d'entrée sonne. Blanche Nouille sursaute, brusquement tirée de sa douce rêverie. Le carillon résonne une fois de plus, puis deux, puis trois.

Elle fronce les sourcils. Le cœur serré, elle sent déjà que la personne qui sonne à sa porte avec autant d'insistance, d'agressivité même, n'est pas un visiteur comme les autres. Son arrivée est donc, forcément, de très mauvais augure.

7

Lorsque Mathilde ouvre la porte, à l'autre bout de la résidence, Blanche Nouille reste figée sur sa chaise, incapable de bouger, les mains agrippées à la table comme une naufragée à une bouée de sauvetage. Elle ne se rend même pas compte que tous les visages se sont tournés vers elle : elle ne voit pas le regard vif de Xavier, ni les joues rondes d'Esbrouffe le Blitz, ni les fins sourcils de Delphinia l'Elfe, qui se sont relevés d'étonnement, ni les grands yeux bleus et un peu inquiets de Mélinda la Malingre, ni la figure plissée et compatissante de Frizouille le Vieuzomme, ni le front soucieux de Clara la Devinière qui, avec cette intuition typique qu'elle a héritée de ses ancêtres Clairvoyants, flaire déjà le danger.

Ils ont tous tourné leur attention vers leur amie comme s'ils cherchaient à comprendre ce qui se passait et ce qu'il fallait faire. Mais leur amie ne voyait rien.

Elle ne connaît pas encore l'identité de la personne qui vient de sonner à sa porte. Elle a beau tendre l'oreille, elle n'arrive pas à distinguer les mots que Mathilde prononce tout bas, sur un ton poli. Et pourtant, sans qu'elle sache pourquoi, tout au fond de son être, à cet endroit où sont enfouis les souvenirs, une peur très ancienne vient de se réveiller brusquement et la tenaille au ventre.

Tout à coup, une voix s'élève, puissante et très nette. Elle résonne comme un coup de tonnerre dans le grand vestibule au plancher de marbre.

— Mais non, pas Ursule Anouilh. UrsuLA Nouille ! Vous êtes sourde, ma pauvre fille, ou alors vous êtes idiote !

À ces mots peu aimables prononcés d'un ton cassant, le visage de Blanche Nouille devient livide. Elle murmure, d'une voix éteinte :

— Tante Ursula !

Sans savoir qui est la tante Ursula, les Onariens devinent tout de suite qu'ils vont avoir de sérieux ennuis.

On dirait que Blanche Nouille a eu la même pensée et que cela l'a fouettée, car elle reprend ses esprits d'un seul coup. Les couleurs lui reviennent instantanément. Ses joues deviennent même très rouges. Elle bondit de sa chaise, se lance vers la porte et fait de grands signes.

— Allez vous cacher au salon. Il ne faut pas qu'elle vous trouve ici !

Mais à ce moment, une voix se rapproche, comme celle de Constance Potvin un peu plus tôt. De la même manière que la journaliste, cette nouvelle visiteuse n'a pas attendu d'être invitée avant d'entrer.

— Ne vous fatiguez pas, ma fille. Je sais où se trouve la salle à manger. Sachez que c'est aussi chez moi, ici.

Blanche Nouille prend un air terrifié, consciente que, dans quelques instants, sa tante Ursula entrera dans la pièce. S'ils empruntent la porte qui mène au salon, les Onariens tomberont nez à nez avec elle. S'ils quittent la pièce par l'autre porte, celle qui donne sur la cuisine, elle pourra les voir du couloir. Elle agite à nouveau la main.

— Trop tard ! Cachez-vous là !

Ils s'engouffrent sous la table, laquelle est heureusement immense et recouverte d'une longue nappe blanche.

Pendant ce temps, la maîtresse des lieux se met à desservir prestement. Elle est si nerveuse que les Onariens, tout près, entendent les assiettes s'entrechoquer dans ses mains tremblantes.

Elle aperçoit tout à coup l'ordinateur portable, dont l'écran affiche des messages d'adolescents clavardeurs qui paraîtront hautement suspects à quelqu'un comme sa tante Ursula.

Elle se rue vers l'appareil après avoir brusquement abandonné sa pile d'assiettes sur la table. Ne sachant pas du tout comment procéder, elle se met à enfoncer toutes les touches du clavier à la hâte, sans résultat. Xavier, caché avec les autres, l'entend faire et grimace. Mais il n'ose pas intervenir. De plus en plus affolée, Blanche Nouille clique à répétition sur la souris, ce qui ne fait qu'ouvrir de plus en plus de dossiers. En désespoir de cause, elle utilise une méthode d'urgence aussi efficace que fortement déconseillée. Elle presse le commutateur de l'ordinateur pour l'éteindre. L'écran devient noir. Enfin !

Elle a tout juste le temps de rabattre rapidement le couvercle du portable avant qu'une silhouette trapue apparaisse dans l'encadrement de la porte, tel un spectre sorti tout droit des enfers.

— Tante Ursula ! Quelle surprise ! s'exclame Blanche Nouille, comme si elle était ravie de cette visite inattendue, mais avec un petit rire saccadé qui trahit sa nervosité.

Pouliotte, qui s'était rendormie au salon après le départ de Constance Potvin, se réveille net, alertée comme toujours par le ton haut perché et très peu naturel de sa maîtresse. Elle accourt aussi vite que le lui permettent ses courtes pattes.

Heureusement, Mathilde s'approchait à ce moment-là, suivant de près la tante Ursula. Craignant que la vue d'une volaille dans la maison de sa patronne provoque une crise d'apoplexie chez l'acariâtre parente, elle réagit à la vitesse de l'éclair. Elle attrape l'oiseau et l'emprisonne sous son bras gauche. De sa main droite, elle lui cloue fermement le bec, aussi bien pour l'empêcher de s'égosiller de dépit que pour protéger ses doigts contre les coups furieux de Pouliotte. Rappelons que la pondeuse a du caractère et déteste qu'on la contrarie. Mathilde s'éclipse discrètement vers la cuisine et s'empresse d'aller au poulailler où elle enferme le volatile, qui étouffe de rage.

Pendant ce temps, de leur cachette, Xavier et les cinq Onariens ne peuvent apercevoir que les pieds de la tante Ursula ! Des pieds potelés, ouverts en canard, dans des souliers de cuir vernis à gros talons carrés.

Blanche Nouille, elle, voit tout le reste de la personne à l'air furibond qui se trouve devant elle. Il s'agit bel et bien de sa tante Ursula. Elle est haute comme trois pommes, mais sa carrure imposante et l'impression de redoutable puissance qui émane d'elle la font paraître géante. Elle porte un tailleur deux pièces qui ne lui sied pas du tout et qui, loin de la rendre élégante, ne réussit qu'à la faire paraître ridicule.

Ma foi, elle a encore grossi ! ne peut s'empêcher de penser sa nièce, de façon assez peu
charitable.

Appuyée de tout son poids sur une canne, la
tante embrasse du regard la salle à manger. Les
sourcils froncés, l'œil mauvais, elle remarque les
chaises déplacées à la hâte, les serviettes frois-
sées abandonnées sur la nappe, la pile d'assiettes,
les ustensiles salis, les tasses dans lesquelles le
chocolat fume encore, le portable.

— Tu reçois du monde, à ce que je vois.

— Comme c'est dommage. Si vous étiez arrivée à peine quelques minutes plus tôt, j'aurais
pu vous présenter mes invités.

— Des invités ? Ils ne coucheront pas ici, j'espère. Tu connais la règle.

— Je connais la règle.

La tante Ursula se permet quand même de
lui rafraîchir la mémoire.

— Les chambres du manoir doivent être réser-
vées uniquement aux membres de la famille
Nouille qui pourraient être de passage dans la
région. En tout temps, elles doivent être prêtes
à accueillir ces derniers.

— Je sais, ma tante, fait docilement Blanche
Nouille.

Sous la table, les Onariens se regardent avec
de grands yeux ronds, à la fois parce qu'ils se
rendent compte qu'ils n'ont pas le droit d'habiter

là et parce que Blanche a adopté un ton piteux de petite fille qu'ils ne lui connaissent pas. Mais quel pouvoir possède donc cette tante pour avoir sur leur chère protectrice un tel effet ?

— Je n'irai pas par quatre chemins. Je suis ici parce que la famille s'inquiète de la manière dont tu gères le domaine. Ou plutôt de ton silence obstiné sur la manière dont tu gères le domaine. Un domaine dont tu n'as que l'usufruit, faut-il te le rappeler !

— C'est quoi l'usufruit ? Un fruit usé ? ne peut s'empêcher de chuchoter Esbrouffe dans l'oreille de Clara, qui lui fait aussitôt signe de se taire.

Comme si elle avait entendu la question, la tante fournit la réponse.

— Je te signale que l'usufruit, ce n'est pas du tout la même chose que la propriété. Le manoir n'est pas à toi. Il ne t'AP-PAR-TIENT pas. Tu as seulement le droit d'y vivre, grâce à cette idée folle que mon père – ton grand-père Albéric – a eue. Malgré tout le respect que je dois à sa mémoire, je crois qu'il n'avait pas toute sa tête le jour où il a pris cette décision ridicule. Tout comme je ne comprendrai jamais pourquoi il te passait tous tes caprices comme il l'a toujours fait.

Blanche Nouille n'ose pas répliquer, ce qui ne lui ressemble absolument pas.

— Nous avons donc réuni un conseil de famille pour discuter de ton attitude. Et nous avons pris la décision de procéder à une inspection, comme nous sommes en droit de le faire.

— Une inssss… une inspec… pection? marmonne Blanche Nouille d'une voix angoissée.

Pendant un bref instant, une peur panique s'empare d'elle. Mais elle se ressaisit bien vite en se rappelant que les personnes qui comptent le plus à ses yeux sont tout près et entendent tout. Cela lui donne un regain de combativité.

— Ma tante, je vous assure que je prends grand soin du manoir. Il est parfaitement entretenu, les…

— Comment oses-tu répliquer, petite impertinente? la coupe sèchement sa vieille tante. Tu dis connaître les règles et pourtant tu as bafoué l'une des traditions les plus importantes de notre famille.

— Quelle tradition? demande Blanche Nouille, inquiète.

— Ça alors! Tu l'as vraiment oubliée! C'est bien ce que je croyais. C'était il y a exactement un mois que devait avoir lieu le grand rassemblement des Nouille. Dois-je te rappeler que depuis des générations, il se tient précisément ici, tous les dix ans, à la même date?

Les yeux de Blanche Nouille s'agrandissent d'effroi.

— C'était cette année ? Mais… mais il me semble qu'il a eu lieu il y a seulement… il y a…

— Dix ans ! tranche la visiteuse sur un ton sans appel. Tu n'as même pas daigné répondre à la lettre que t'a envoyée l'oncle Gonzague à ce sujet.

Blanche est abasourdie.

— Je vous jure que je n'ai jamais reçu…

— Bref, continue la tante, voyant que tu n'as pas respecté cette tradition presque sacrée pour nous tous, le conseil a trouvé tout à fait justifié de décréter cette visite d'inspection. Et c'est moi qui ai été mandatée pour la faire.

— Vous auriez dû m'avertir, j'aurais fait préparer un bon repas, j'aurais…

— Ma pauvre enfant ! la coupe encore l'autre avec un sourire hautain. Une visite d'inspection ne serait d'aucune utilité si elle était annoncée à l'avance, n'est-ce pas ? Tu aurais le temps de tout nettoyer, de faire ratisser les feuilles sur les pelouses, repeindre les murs défraîchis, camoufler tout ce qui n'est pas en règle. Non, une visite d'inspection doit toujours se faire à l'improviste. Me voici donc et je te jure que je ne laisserai rien passer. Je ne suis pas comme mon faiblard de père, moi, je te prie de me croire ! J'exige d'ailleurs que tu m'ouvres tantôt le coffre-fort familial pour que j'en vérifie soigneusement le contenu.

À ce moment, Blanche Nouille a la très désagréable impression qu'elle n'a pas vu la clé du coffre-fort depuis une éternité. En fait, elle n'a même aucune idée de l'endroit où elle se trouve.

— Tu devras aussi me présenter les comptes du manoir, à jour et en ordre. Si mon rapport d'inspection n'est pas favorable, tu sais ce que cela signifie, n'est-ce pas ? Que la famille pourrait te retirer le droit de vivre ici !

Sur ces paroles, elle tourne les talons et se dirige vers l'escalier qui mène aux chambres. Pendant qu'elle s'éloigne à petits pas, elle laisse tomber avec mépris, sans même jeter un regard derrière elle :

— En attendant, demande à ta sotte de domestique de monter mes bagages à ma chambre.

— Votre chambre ? répète Blanche Nouille avec appréhension.

La tante s'arrête, se retourne lentement et esquisse un petit sourire.

— C'est vrai, tu ne te rappelles sûrement pas ce détail. Quand j'étais enfant, j'occupais la chambre qui donne sur le jardin. C'est celle-là que je veux. Tu n'y vois pas d'inconvénient, j'espère ?

— Nnnnon. Non, non, non. Bien sûr que non, répond Blanche Nouille, dont le cerveau fonctionne à présent à deux cents à l'heure.

Sous la table, le cerveau de Frizouille roule tout aussi vite, pour la simple et bonne raison que la chambre qui donne sur le jardin, c'est la sienne !

Blanche Nouille le sait, elle aussi, évidemment. Elle se sent comme une toute petite fille qui va se faire prendre la main dans le sac et qui redoute la terrible punition qu'on lui infligera.

Aussitôt, elle se raisonne. Les Onariens n'ont pas pu laisser d'effets personnels là-haut, puisqu'ils ne possèdent rien. Et elle a déjà remarqué qu'ils replacent les édredons à la perfection, chaque matin. La tante ne verra rien qui puisse dévoiler leur présence. Elle n'essaie donc pas de la retenir. Ça l'arrange même drôlement qu'elle s'éloigne.

Dès que la vieille dame, appuyée sur sa canne, s'engage dans le long escalier, Blanche Nouille en profite pour faire sortir ses amis de leur cachette.

— Nous allons devoir partir ? s'inquiète Mélinda, dont les yeux bleu délavé trahissent toute l'inquiétude.

— Le problème, c'est que nous ignorons absolument comment retourner à Onaria, nous ! rappelle Esbrouffe.

— Taisez-vous donc ! fait sévèrement Frizouille.

Puis il se tourne vers Blanche Nouille.

— Je vois bien que nous vous mettons dans l'embarras, chère amie. Nous avons déjà beaucoup trop abusé de votre bonté. Nous retournerons simplement dans la forêt, où nous vivions avant d'être généreusement recueillis par vous.

— Mais l'édredon n'est peut-être plus dans la vitrine de la boutique *Bien dormir, c'est bien vivre!* s'inquiète Delphinia.

Avant d'être hébergés par Blanche Nouille, les Onariens dormaient en effet dans les bois qui tapissent les flancs du mont d'Or. Les nuits étant devenues de plus en plus froides, ils s'étaient mis à faire la collecte des bouteilles vides, qu'ils revendaient au Dépanneur Lève-tôt pour gagner de quoi s'acheter un édredon.

— C'est hors de question, tranche Blanche Nouille, qui semble du coup retrouver tout son aplomb. Il gèle durant la nuit. Et, surtout, le Grand Schrapzzz pourrait revenir. Vous restez ici, un point c'est tout. Je ne vous abandonnerai jamais. Vous m'entendez? Jamais! La maison est bien assez grande pour que vous évitiez ma tante qui, de toute façon, ne s'éternisera pas ici indéfiniment. Elle déteste le froid. Elle voudra bientôt retourner vivre sur la Côte d'Azur, où elle a sa résidence. Il suffira d'être vigilants, voilà tout.

— Et de passer l'inspection, rappelle très justement Clara.

— Et de passer l'inspection, admet Blanche Nouille en hochant la tête. Je suis désolée de vous mêler à toutes ces histoires de famille. Je trouverai une solution, je vous le promets.

C'est à cet instant qu'un grand cri se fait entendre à l'étage. Un de ces cris perçants qui vous glacent le sang.

— Aaaaaaah ! Adalbeeeeert !

Ils restent figés pendant un moment.

— Qui c'est, Adalbeeeeert ? demande Esbrouffe, en imitant – mais tout bas – le cri hystérique de la tante Ursula.

— Adalbert, rectifie Blanche Nouille. Mon oncle Adalbert. Le mari de tante Ursula.

Une vive inquiétude passe tout à coup dans ses yeux.

— Frizouille, qu'avez-vous fait du manteau militaire que je vous ai prêté ?

— Je l'ai déposé dans ma ch... Oh ! Non ! Dans SA chambre !

— De toute évidence, elle l'a trouvé, devine Clara. Et on dirait bien que ça lui a causé tout un choc.

— Je ne comprends pas, dit Esbrouffe. C'est quoi le rapport entre les deux ? Le manteau et l'oncle Adalbert ?

— La capote militaire, c'était la sienne, annonce Blanche Nouille d'une voix tremblante.

— Oh! Et il sera furieux que vous me l'ayez prêtée, bien sûr! se désole Frizouille.

— Il ne peut pas être furieux, répond Blanche Nouille.

— Pourquoi? demande Mélinda, inquiète.

— Parce qu'il est mort depuis au moins trente ans.

À l'étage, ils entendent de petits pas précipités se rapprocher de l'escalier, au milieu de pleurs et de cris affolés.

Quand la tante Ursula fait irruption dans la salle à manger, aussi vite que le lui permettent son poids, son âge et ses courtes jambes, elle n'y trouve personne d'autre que sa nièce. Xavier a saisi son ordinateur et filé en douce, tandis que les Onariens se sont réfugiés derrière la porte du salon pour ne pas être découverts.

Cherchant bruyamment son souffle, la tante roule des yeux apeurés en brassant l'air devant elle avec sa canne, comme si elle se prenait pour une éolienne.

Blanche Nouille s'efforce de paraître très calme, même si son cœur bat à tout rompre. Elle accourt au-devant de la vieille dame.

— Mais que vous arrive-t-il, ma bonne tante? Je vous ai entendue crier. Vous ne vous êtes pas blessée, au moins?

— Adalbert est revenu!

— Adalbert?

— Ton oncle Adalbert !

— Voyons, vous savez bien que c'est impossible. Il nous a quittés il y a longtemps déjà !

— Il est là, je te dis. Il a déposé son manteau dans ma chambre !

— Quel manteau ?

— Sa capote militaire ! La longue, en toile cirée, celle qui lui donnait si fière allure.

À ce moment, Blanche Nouille aperçoit, par-dessus la tête de sa tante, les Onariens qui passent sans bruit du salon à la grande bibliothèque pour emprunter à pas de loup l'escalier qui mène à l'étage.

— Viens voir toi-même, si tu ne me crois pas, insiste la vieille d'une voix hystérique en lui agrippant fermement la main pour qu'elle la suive.

— Nous irons tout à l'heure, répond Blanche Nouille en tirant à son tour sur le bras de sa tante. D'abord, assoyez-vous quelques instants. Reprenez votre souffle. Pensez à votre cœur.

— Je ne veux pas m'asseoir ! s'écrie la tante Ursula, au bord de la crise de nerfs. Vas-tu m'écouter à la fin ?

Blanche Nouille est parcourue tout à coup d'un grand frisson. Le même qu'elle avait, enfant, quand sa tante Ursula prenait cette voix sévère pour la rabrouer. Elle n'ose pas insister. Elle lui donne donc le bras pour la raccompagner jusqu'à sa chambre. Mais elle prend soin de faire une longue pause à chaque marche, sous prétexte de ménager le cœur de son aïeule.

Quand elles parviennent finalement à l'étage et qu'elles entrent dans la chambre, Frizouille a tout remis en ordre.

— Vous voyez, il n'y a rien, dit doucement Blanche Nouille, extrêmement soulagée.

— Elle était là, je te dis! insiste la tante Ursula en agitant un doigt tremblant vers le lit. Déposée tout naturellement, comme s'il venait à peine de rentrer de la guerre.

— Et pourtant, je ne vois rien. Vous voyez quelque chose, vous?

— Évidemment que non. Je ne suis pas idiote et j'ai des yeux pour voir. Elle a disparu.

— Il ne faut pas vous mettre dans des états pareils. Le voyage a dû vous fatiguer. J'ai une idée! Si je demandais à Mathilde de vous préparer une bonne tasse de tisane ultra-relaxante?

La vieille retire brusquement la main avec laquelle elle se tenait agrippée au bras de sa nièce :

— C'est ça! Dis que je suis cinglée, tant qu'à y être!

Blanche Nouille contemple l'œil mauvais, la lèvre tremblante d'indignation et le chignon en bataille de cette femme de quatre-vingt-six ans. Elle se demande un bref instant comment on peut, à un âge aussi avancé, trouver encore l'énergie d'être aussi détestable.

Mais surtout, elle comprend avec angoisse qu'héberger sa tante Ursula ne sera pas de tout repos et passer l'inspection, pas une mince affaire !

8

—◆—

Xavier est dans de beaux draps !

Aussitôt rentré à la maison, il s'est précipité dans sa chambre. Cette pièce est son univers, son nid, l'endroit qui lui ressemble et où il aime se retrouver seul avec lui-même.

Aujourd'hui pourtant, il n'a même pas prêté attention aux rideaux de couleur vive, ni au lit tout neuf recouvert de l'édredon qu'il a lui-même choisi. Il n'a pas vu les étagères où il y a assez de place pour ranger tout ce qu'il veut, ni les nouvelles affiches de ses idoles de foot dont il a tapissé les murs, ni ses nombreuses médailles sportives suspendues à des crochets. En fait, c'est bien la première fois depuis des semaines qu'il entre dans sa chambre sans éprouver un vif plaisir et un tendre sentiment de gratitude envers ses parents.

Il faut dire que, pour son anniversaire, en septembre, ils ont été vraiment chouettes. Ils se sont rendu compte que, à maintenant douze ans, et donc presque au début de l'adolescence, il était grand temps que leur fils ne dorme plus dans une pièce dont les tentures et le papier peint étaient encore ornés de jolis oursons en peluche. Cela devenait carrément gênant pour lui. Il n'osait même plus y inviter ses amis. Ils lui ont donc offert un magnifique cadeau : ils ont entièrement renouvelé l'ameublement et la décoration de sa chambre, pour qu'elle reflète mieux son âge, sa personnalité, ses goûts et ses intérêts.

Pour couronner le tout, ils lui ont même offert son premier ordinateur portable, à lui tout seul.

Depuis ce temps, chaque fois qu'il entre dans son petit refuge, une bouffée de bonheur et de fierté lui gonfle le cœur.

Pas aujourd'hui, cependant. C'est dire dans quel état d'esprit il était lorsqu'il s'est élancé vers son pupitre pour y déposer son ordinateur, qu'il a ouvert aussitôt, anxieux de vérifier si le traitement plutôt brutal infligé par Blanche Nouille avait eu des effets indésirables.

Sur l'écran, le carré blanc est apparu, avec l'habituel message lui demandant d'entrer son mot de passe. Il s'est empressé de le taper : Xav1909. L'interface utilisateur s'est ouverte puis, une à une, les icônes se sont alignées bien sagement à l'écran. Ouf ! Tout semblait normal.

Il riait tout seul de soulagement quand il s'est rappelé qu'il avait un travail d'histoire à remettre le lendemain. Il est sorti de sa chambre pour aller demander à sa mère, en train de peindre dans son atelier :

— Papa est dans son bureau ?

— Il n'est pas encore rentré. Pourquoi ?

— Je peux me servir de l'imprimante ? C'est pour un travail d'histoire.

Sa mère lui a fait un sourire radieux.

— Pas de problème, mon beau chéri d'amour.

— Super ! Merci.

Il a tourné les talons et est descendu au bureau de son père, aménagé au sous-sol, pour mettre l'imprimante en marche. En remontant, il s'est demandé pendant combien de temps encore sa mère allait l'inonder de tous ces petits mots d'amour. Il comprenait très bien que la nouvelle de son bref enlèvement par Zaratovski l'avait bouleversée, mais il avait tout de même hâte qu'elle revienne à son état normal. C'est bien, les marques de tendresse, il n'a rien contre. Mais devant ses amis, cette avalanche de noms gentils le ferait paraître franchement idiot…

Il est retourné s'asseoir devant son portable et a cliqué sur le dossier dans lequel il conserve tous ses travaux scolaires. Il a choisi celui intitulé « Histoire » et a cliqué à nouveau.

Et c'est à ce moment-là que le ciel lui est tombé sur la tête !

Sur l'écran de son ordinateur, il y a maintenant une bonne minute que Xavier contemple avec stupéfaction le blanc, le vide, l'effroyable néant! Il n'y a plus rien dans le dossier! Disparue, la recherche, disparu, le travail de dix pages qu'il avait si laborieusement écrit. Laborieusement, parce que l'écriture, ce n'est vraiment pas son point fort. Il aime mieux être dans l'action, bouger, fabriquer des objets de ses mains, faire des expériences concrètes, effectuer des visites pour voir des gens exercer leur métier, ce genre de choses. Tout, sauf écrire. Pourtant, il les a faites, ces foutues dix pages. Très bien faites, même. Sans aucune faute d'orthographe, il serait prêt à le jurer, et avec des tournures de phrase pas trop mauvaises. Sur Internet, il avait trouvé des trucs vraiment intéressants sur les origines des sports de ballon. Mais les adresses de ces sites étaient toutes inscrites dans son fichier de recherche. Et son fichier de recherche a disparu. Et celui de son travail aussi. Et c'est demain matin qu'il doit le remettre!

La gorge serrée, le cœur battant très fort, il se lance sur la piste de son travail. Il le cherche par son titre, *Histoire de ballons*. Rien. À moins que ce soit plutôt *Le ballon dans l'Histoire*. Rien. Il se triture les méninges pour essayer de se souvenir du titre exact qu'il a donné à son document. Il ne peut s'empêcher de penser qu'un ordinateur, c'est fabuleux, mais que ça ne vous aide pas le moins du monde quand vous avez un trou de mémoire. C'est ultra-rapide, mais ça ne raisonne pas comme un humain.

Il faut tout de même bien qu'il le retrouve, ce travail ! Il n'a pas le temps de le réécrire, quand bien même il y passerait toute la nuit. Et il sait parfaitement que monsieur Laurencelle ne lui fera pas de faveur. Déjà qu'il a un préjugé contre les sportifs. Tous des nuls à l'école, selon lui. Il lui collera un zéro, c'est sûr. Et ce texte compte pour une bonne part de sa note dans le prochain bulletin.

À toute vitesse, il se met donc à éplucher un à un tous les dossiers de son ordinateur, en se maudissant d'en avoir créé autant en si peu de temps, c'est-à-dire depuis la date où il a reçu son portable en cadeau.

— Alors, tu l'imprimes, ce travail ?

Xavier sursaute. Sa mère est là, appuyée contre le cadre de la porte. Elle lui sourit.

— Euh… J'ai un petit problème technique à régler avant. Ça ne sera pas très long.

Sa mère grimace, ce qui fait plisser son joli nez retroussé.

— Malheureusement, je ne peux pas t'aider. L'informatique et moi, tu sais… Il faudra demander à ton père.

— Non, non. Ça ira, répond Xavier qui redoute les questions de son père sur la manière dont il a bien pu faire disparaître son devoir.

— Ça lui fera plaisir. Il sera là dans dix minutes. Et devine quoi ? Il apporte des sushis.

— O.K.

Sa mère fronce les sourcils, hésite un instant, puis quitte la pièce. Les sushis, Xavier en est littéralement fou. Il en mangeait déjà quand il avait à peine trois ans. Qu'il ne réagisse pas en apprenant qu'il y en aura au menu, ce n'est pas normal, vraiment pas normal.

Une demi-heure plus tard, quand il quitte la table sans avoir vidé son assiette en disant qu'il n'a plus faim, alors là, c'est franchement inquiétant pour des parents qui connaissent aussi bien leur fils que ces parents-là.

À la troisième visite de sa mère dans sa chambre, Xavier n'a toujours pas retrouvé son travail d'histoire et il sent qu'il va avoir de gros ennuis. Une forte irritation monte en lui. Il voudrait que ses parents se préoccupent un peu moins de lui, en ce moment. C'est vrai ça, c'est agaçant, à la fin, d'avoir des parents aussi parfaits ! À force de vouloir votre bien, ils finissent par vous empêcher de respirer !

— Je te trouve un peu distrait depuis quelque temps, dit gentiment sa mère, avec le ton de quelqu'un qui a pris la peine de réfléchir avant de parler.

Sans se douter que, si elle a bien choisi ses mots, elle a très mal choisi le moment, elle en rajoute :

— Distrait et bizarre. Si quelque chose t'inquiétait, tu m'en parlerais, hein ? Tu sais que tu peux tout me dire. Nous, les parents, nous sommes là pour ça aussi.

Et elle se lance dans un discours touchant et sincère sur l'amour inconditionnel qui lie les parents et les enfants et sur la confiance, essentielle dans leur relation. Mais Xavier ne l'écoute pas vraiment. Tandis qu'il la regarde et hoche la tête en silence, il se demande combien de temps il va pouvoir contenir son impatience. Il ne veut pas être impoli, cela lui ferait trop de peine et il le regretterait beaucoup par la suite.

Il aime sa mère, lui aussi. D'ailleurs, c'est parce qu'il l'aime beaucoup qu'elle l'agace autant en ce moment. Cela paraît contradictoire, mais en fait, c'est très logique : il aime sa mère, il veut donc qu'elle soit fière de lui ; pour qu'elle soit fière de lui, il faut qu'il ait de bonnes notes à l'école. Pour avoir de bonnes notes, il faut qu'il retrouve son travail. Et pour ça, il faudrait qu'elle cesse de parler. Et cela l'agace terriblement qu'elle soit capable de parler autant sans même s'essouffler !

Elle s'arrête net, au milieu d'une phrase, soupire, sourit gentiment et quitte finalement la pièce en disant qu'elle doit le laisser travailler. Il jurerait qu'elle a deviné ce qu'il pensait et ça, c'est un peu effrayant pour un garçon de douze ans qui, après tout, a bien le droit d'avoir quelques secrets.

Rien de pire que des parents parfaits, se dit Xavier. *Ça vous fait sentir drôlement coupable quand vous n'êtes pas à la hauteur !*

❖

— Ça va, fiston ?

Xavier sursaute encore.

— Tu sais qu'il est bientôt dix heures ? ajoute son père en lui ébouriffant gentiment les cheveux.

Dix heures ! C'est incroyable. Il n'a pas vu le temps passer. Depuis qu'il a dû se rendre à l'évidence que son travail a été effacé, Xavier a été trop absorbé à essayer tous les logiciels qu'il connaît pour tenter de le faire réapparaître comme par miracle.

— Je peux t'aider avec l'ordinateur ? demande encore son père en se penchant par-dessus l'épaule de son fils.

Celui-ci referme brusquement le couvercle de son portable.

— Non, non, merci, ça va. Je l'imprimerai demain matin, finalement. Je suis trop fatigué. Je vais me coucher.

En s'efforçant de paraître le plus naturel possible, il range ses affaires, va préparer son lunch pour le lendemain, fait sa toilette et va souhaiter bonne nuit à ses parents. Il embrasse même affectueusement sa mère, en la serrant très fort, pour lui montrer qu'il va bien. Ce qui est complètement raté d'ailleurs. Il comprend tout de suite, au regard songeur de sa maman, que ses embrassades inhabituelles ont produit exactement l'effet inverse !

Il s'installe dans son lit, éteint la lumière et se met à attendre, les yeux grands ouverts dans le noir. Quand il n'y aura plus de bruit dans la maison, il va se réinstaller discrètement à l'ordinateur. Avant la visite de son père, il était tombé sur un site où il pourrait demander conseil à un technicien en ligne.

C'est la dernière pensée claire qui effleure son esprit. Une minute plus tard, il dort profondément.

9

Contrairement à Xavier, Blanche Nouille, elle, n'a pas fermé l'œil de la nuit. La présence d'une tante inspectrice n'est pas très reposante dans une maison où l'on tente de cacher cinq Onariens.

Il fallait bien le reconnaître, elle était étonnante de vivacité, cette Ursula, malgré son âge avancé ! Après l'émotion causée par la vue du manteau de son défunt mari, Blanche Nouille croyait que sa tante mettrait un peu de temps à se remettre, mais non ! Piquée de voir que sa nièce la pensait un peu timbrée, elle a retrouvé son mauvais caractère à une vitesse stupéfiante.

— Je commence l'inspection sur-le-champ ! a-t-elle décrété.

Blanche Nouille savait bien que Frizouille et les autres, après avoir récupéré la capote militaire, ne pouvaient être loin. Ils avaient dû se cacher à la hâte dans l'une des sept chambres qui entourent la cage de l'escalier central. La dernière chose dont elle avait besoin, c'était que l'intruse se mette à fouiller toutes les pièces de l'étage, les unes après les autres, jusqu'à ce qu'elle tombe sur ses protégés.

— Maintenant ? a-t-elle demandé avec inquiétude.

— Dans la seconde !

— Mais ma tante, c'est que…

— Silence ! Un mot de plus et je rédige un rapport si épouvantable que tu devras faire tes bagages d'ici la fin de la semaine ! Tiens-le-toi pour dit.

Visiblement, Blanche Nouille n'était plus la maîtresse dans cette maison. La seule chose qu'elle pouvait faire, c'était prévenir ses amis du danger qui les guettait.

Pendant que sa tante s'est mise à inspecter la salle de bain attenante à sa chambre, à la recherche du moindre microbe, Blanche Nouille s'est éclipsée sans bruit dans le couloir.

À tout hasard, elle a entrouvert la porte qui donnait sur la chambre voisine. Les Onariens y étaient cachés derrière les tentures. En fait, prétendre qu'ils étaient cachés est nettement exagéré. Du premier coup d'œil, elle a aperçu cinq paires de pieds bien visibles sous les rideaux ; les petits pieds chaussés de sabots d'Esbrouffe, les grands souliers plats de Mélinda, les bottes de feutre de Clara, les guêtres de Frizouille. Pour finir, il y avait les souliers à talons hauts de la tante Artémise, que Delphinia avait trouvés au grenier et qui ne la quittaient plus depuis.

— Psssst ! a-t-elle chuchoté, juste assez fort pour attirer leur attention.

Clara a prudemment glissé un œil hors du rideau. Blanche Nouille lui a fait signe de quitter la pièce avec les autres, au plus vite et discrètement. À ce moment, elle a eu une pensée reconnaissante pour son cher grand-père Nouille, qui avait conçu une maison où il y avait autant de portes ! Deux pour chaque pièce, quand ce n'était pas trois.

Ses amis ont à peine eu le temps de passer celle qui donnait sur la chambre suivante et de la refermer sans bruit que déjà, la tante Ursula était dans le dos de Blanche Nouille.

— À qui parles-tu ?

— Oooh ! Je… À personne. J'ai cru apercevoir une souris. Je tentais de l'effrayer.

— Quoi ? Une souris ? Tu laisses des rongeurs infester la maison de ton grand-père ? Quelle négligence ! Cela te vaudra une mauvaise note dans mon rapport d'inspection.

Pendant que Blanche Nouille se maudissait d'avoir gaffé aussi bêtement, la tante a brandi une clé sous son nez.

— Encore heureux que j'aie trouvé la clé de ma chambre à sa place, dans le tiroir de gauche de la commode. Cela te donne un bon point. À condition, évidemment, qu'il en soit de même dans toute la maison.

Puis elle a ajouté, en verrouillant sa porte :

— La règle est claire : chaque convive doit trouver la clé de sa chambre dans le tiroir gauche de la commode, pour que ses effets personnels soient à l'abri des vols. C'est bien connu, on ne peut pas faire confiance aux domestiques. Cette racaille cherche toujours à vous chiper jusqu'à votre dernier mouchoir.

— Ooooh ! n'a pu s'empêcher de murmurer Blanche Nouille.

Elle était profondément blessée par la méchanceté et la fausseté de ces paroles. Tous ses employés étaient sans exception des gens fidèles, de véritables amis pour elle. Jamais ils ne lui auraient volé ne serait-ce qu'une tomate !

— Évidemment, lui a dit sa tante en la regardant de haut comme si elle lisait dans ses pensées, tu vas me dire que jamais tes domestiques ne feraient une chose pareille. Ce que tu peux être naïve...

Elle a levé la main pour faire taire sa nièce qui allait justement protester.

— Pas la peine d'essayer de me convaincre du contraire. Mon idée est faite sur ces gens. Voyons plutôt si tout est en ordre dans cette chambre-ci.

Tandis qu'elle suivait pas à pas la vieille dame qui ouvrait et fermait les tiroirs, vérifiait la propreté des fenêtres, glissait un doigt sur tous les meubles pour y déceler la plus infime trace de poussière, Blanche Nouille s'est mise à réfléchir. Des dizaines de ces règles assommantes et inutiles qui plaisaient tant aux Nouille sont remontées dans sa mémoire en se bousculant. Elle s'est rendu compte avec horreur qu'elle n'en respectait à peu près aucune. Elle était de plus en plus convaincue que jamais elle ne passerait l'inspection !

Le cœur plein d'angoisse, elle a accompagné sa tante d'une pièce à l'autre, remerciant intérieurement ses chers Onariens de toujours réussir à s'esquiver sans bruit. À quelques reprises seulement, elle a cru percevoir un léger cliquètement sur le plancher de bois. De toute évidence, Delphinia avait du mal à marcher vite, juchée sur les souliers à talons hauts de la tante Artémise. Chaque fois, Blanche se mettait à tousser pour couvrir le bruit. Car en plus d'avoir l'œil aiguisé, l'octogénaire était encore dotée d'une ouïe redoutable.

Elle a fini par se retourner avec agacement à la quatrième quinte de toux de sa nièce.

— On dirait que tu as pris froid.

— Ce n'est rien. Je vous remercie de vous inquiéter de ma santé, ma tante.

— Je me fiche éperdument de ta santé, a répondu l'autre sèchement. Je constate simplement que tu économises sur le chauffage. Le froid, c'est très nuisible pour une maison de cet âge. Voilà un autre mauvais point pour toi !

Blanche Nouille était désespérée. Chaque fois qu'elle tentait de régler un problème, elle ne faisait qu'en créer un nouveau. À ce rythme-là, elle serait à la rue à une vitesse vertigineuse !

Pendant une heure et demie, quatre-vingt-dix interminables minutes, la tante a ainsi fait le tour de chaque coin et recoin de la demeure ancestrale, alors que les Onariens se précipitaient d'une pièce à l'autre pour lui échapper. Il n'y avait que le grenier qu'elle n'avait pas visité.

— Mes vieilles jambes ne me permettent pas d'escalader un escalier aussi étroit et aussi à pic. Tant pis. Je n'inclurai pas le grenier dans mon rapport.

Blanche Nouille a su, dès cet instant, où elle cacherait ses amis pour la nuit.

Mais les Onariens n'étaient pas au bout de leurs peines. Ils ont dû passer le reste de la journée à faire des sauts de puce de pièce en pièce et d'un étage à l'autre. C'est qu'elle avait la bougeotte, la tante Ursula, et qu'on ne pouvait jamais prévoir ni ses déplacements, ni ses caprices.

Par exemple, elle n'est restée dans la salle à manger que quelques minutes, juste le temps d'engouffrer avec grand appétit un repas qu'elle a pourtant critiqué sans arrêt : trop de sel ici, pas assez de poivre là, la viande mal cuite, la laitue un peu défraîchie. Même le gâteau, un Reine Élisabeth que Mathilde réussit toujours à la perfection, ne lui a pas plu.

— Ce dessert était tout simplement infect ! a-t-elle déclaré en en avalant la dernière bouchée.

Curieux qu'elle n'en ait pas laissé une seule miette, a pensé Blanche Nouille, sans oser le dire tout haut, bien entendu.

Ensuite, elle a voulu prendre le thé au salon, puis le digestif dans la bibliothèque.

Alors que la tante était toujours fraîche comme une rose et méchante comme une teigne, Blanche Nouille et les Onariens, eux, étaient complètement exténués.

Quand elle s'est enfin installée dans le boudoir pour regarder son feuilleton de télévision préféré, Blanche Nouille a cru qu'ils pourraient tous souffler un peu.

Elle a discrètement fait passer ses amis dans la cuisine où Mathilde, aidée de Mélinda, a préparé un repas typiquement onarien, c'est-à-dire strictement végétarien.

— Ici, vous ne risquez rien. À part moi, aucun Nouille ne met jamais les pieds à la cuisine.

— Pourquoi? a demandé Frizouille.

Blanche Nouille a hésité un instant. Une ombre a passé dans ses yeux.

— Lorsque j'étais une toute petite fille, ma mère m'a un jour surprise dans la cuisine. Dorina, ma nounou chérie, me montrait comment faire une mousse au chocolat, mon dessert préféré. Eh bien! ma mère m'a saisie par la main et m'a presque traînée hors de la pièce. Elle était tellement fâchée qu'elle me faisait peur. Je me rappelle encore parfaitement ses paroles : « La cuisine, c'est pour les domestiques! Ce n'est pas de ton rang. Que je ne t'y reprenne plus jamais! »

— Qu'est-ce que c'est, le rang? a demandé Esbrouffe, intrigué.

— C'est une invention stupide de certains humains, pour se faire croire qu'ils valent plus que les autres, a répondu Blanche d'une voix dure.

Cette confidence a été interrompue par le son d'une clochette que la détestable aïeule agitait avec frénésie. Son émission télévisée était terminée et elle voulait que sa nièce change de chaîne.

C'est au moment où Blanche Nouille se précipitait dans le boudoir que les choses se sont drôlement compliquées à la cuisine.

Dans l'agitation de cette journée étourdissante, les Onariens avaient oublié un détail.

Chaque jour, dès le coucher du soleil, Frizouille, comme tous ceux de son espèce, s'endort d'un profond sommeil et ce, quels que soient le lieu et les circonstances.

À peine avaient-ils entamé leur délicieux potage à la citrouille que le Vieuzomme a tout à coup piqué du nez dans son bol. Les autres sont restés figés pendant un instant. Mais quand il s'est mis à faire des bulles dans sa soupe en ronflant, ses amis se sont rendu compte qu'il allait se noyer s'ils ne le tiraient pas de là tout de suite. Ce qu'ils ont fait aussitôt, bien sûr. Ils savaient parfaitement que rien ne peut réveiller un Vieuzomme, une fois qu'il s'est endormi. Quoi qu'ils fassent, leur ami n'ouvrirait pas l'œil avant le lever du jour, le lendemain matin.

Évidemment, ça a été toute une histoire de le traîner sur le plancher jusqu'à l'escalier, Mélinda et Clara lui tenant chacune un bras, tandis que Delphinia et Esbrouffe s'occupaient des pieds. Mais ce n'était encore rien. Il a fallu ensuite le hisser en haut de chacune des marches de l'interminable escalier en spirale. Tout cela sans être ni vus, ni entendus par la tante malcommode à l'ouïe surhumaine! Jamais ils n'auraient cru qu'un Vieuzomme endormi, tout sec et tout maigre qu'il soit, puisse peser aussi lourd. Dans l'aventure, sa tête a heurté les marches à quelques reprises. Ses amis grimaçaient à chaque coup, craignant de l'assommer pour de bon. Mais cela avait au moins l'avantage de faire cesser ses ronflements.

Parvenus à l'étage, suant, soufflant, et à bout de nerfs, les Onariens ont contemplé, au bout du couloir, le petit escalier – presque une échelle, faut-il le rappeler – qui mène au grenier. Ils ont compris que jamais ils ne pourraient transporter Frizouille jusque là-haut.

Alertée discrètement par Mathilde, Blanche Nouille est arrivée à leur rescousse. Elle a décidé de les installer tous les cinq dans sa propre chambre, qu'elle a ensuite fermée à clé. Pour cette nuit, c'était réglé. De toute façon, elle n'avait pas besoin de sa chambre. Elle savait très bien qu'elle ne dormirait pas avant d'avoir retrouvé la fameuse clé du coffre-fort, qu'elle avait mise elle ne se rappelait pas où.

Mais rien n'allait être aussi simple. Vers minuit moins le quart, lorsque la tante Ursula est finalement montée se coucher, elle a semblé se rappeler quelque chose, tout à coup. Elle s'est dirigée tout droit vers la chambre de sa nièce et elle a tenté de tourner la poignée de la porte.

— Pourquoi est-ce verrouillé chez toi, alors que ce ne l'était pas tout à l'heure ? a-t-elle demandé à Blanche Nouille, qui la suivait docilement.

— Parce que… parce que… c'est chez moi, justement.

La tante a eu un sourire triomphal.

— Tu vois bien que tu te méfies des domestiques, toi aussi.

Blanche s'est mordu les lèvres pour ne pas hurler de rage. La tante a tendu la main.

— Ta clé !

— Pardon ?

— Donne-moi ta clé. Je veux voir ta chambre.

— Mais, vous l'avez déjà inspectée tout à l'heure, a protesté Blanche Nouille.

La tante est demeurée intraitable.

— Ta clé ! a-t-elle ordonné en agitant les doigts avec agacement.

Quand la mégère a ouvert la porte, Blanche, elle, a fermé les yeux. Elle ne pouvait supporter la vue des cinq Onariens figés d'horreur devant une vieille dame qui, elle, ferait une crise d'apoplexie en les découvrant là.

— C'est bien ce que je pensais ! a sifflé la tante, pleine de dépit.

Blanche a rouvert les yeux. Rien. Il y avait seulement Ursula, les poings sur les hanches, qui faisait l'inventaire de la pièce d'un regard sans merci.

— Pas de portrait de famille, ici non plus. J'avais oublié de vérifier tout à l'heure. Quelle honte ! Tu m'obliges à noter dans mon rapport qu'il n'y a, dans cette maison, aucun objet qui rappelle l'existence des Nouille. Pas le moindre bibelot, pas la moindre photo, pas le plus petit portrait.

— Il y a celui de grand-père Nouille dans la bibliothèque, a plaidé Blanche.

— Ce portrait ne compte pas. Ton grand-père, tu l'aimais, lui ! Tu as sans doute relégué tous nos autres souvenirs à la cave ou au grenier. Je le vois bien, tu te soucies de nous comme de ta première chemise, ma nièce. C'est-à-dire pas du tout.

— Mais non. Je… je pense à vous… Je…

— Si, par le plus grand des hasards, il t'arrive de penser à nous, a rouspété la chipie, ce n'est sûrement pas en bien. Tu n'es qu'une ingrate. Te rends-tu compte que depuis mon arrivée, pas une seule fois tu ne m'as demandé des nouvelles de tes parents ?

Il y a eu un long moment de silence.

— Comment vont-ils ? a finalement interrogé Blanche, du bout des lèvres.

Le ton était si dur que les Onariens – enfin ceux qui ne dormaient pas, qui avaient réussi de justesse à rouler Frizouille sous le lit et qui s'y étaient cachés aussi – se sont regardés avec des yeux ronds d'étonnement. Ils n'avaient encore jamais rencontré quelqu'un qui semblait aussi peu apprécier ses parents.

— Ils vont très bien, je te remercie, a sèche-ment répondu la tante Ursula. Comme chaque année à ce temps-ci, ils s'apprêtent à partir en croisière dans les mers du Sud jusqu'au printemps.

Sans plus s'occuper de sa nièce, elle a jeté un dernier regard sur la chambre. Elle a aussi tendu l'oreille, car elle avait cru entendre un léger ronron lorsqu'elle avait ouvert la porte. Mais non. Seul le clapotis des gouttes d'eau sur le toit d'ardoises troublait le silence, car il s'était mis à pleuvoir.

Il n'y avait aucun autre son parce que Esbrouffe s'appliquait depuis cinq bonnes minutes à tenir fermement entre son pouce et son index le nez crochu de Frizouille. Sans se réveiller, le Vieuzomme avait instinctivement ouvert la bouche toute grande pour respirer, ce qui avait fait cesser ses ronflements. Mais la pani-que gagnait le Blitz au même rythme que les crampes dans ses doigts.

— Je suis fatiguée. Je vais me coucher, a annoncé la tante, avant de tourner les talons pour se retirer, enfin ! dans sa chambre.

— Mais demain, à la première heure, je veux que tu ouvres le coffre-fort, a-t-elle aussitôt ajouté en brandissant un doigt menaçant vers le bas de l'escalier.

Puis, elle s'est enfermée à clé pour la nuit.

Blanche Nouille a attendu un bon moment, debout dans le couloir. Puis, avec mille précautions, elle est allée coller son oreille à la porte de la chambre de l'octogénaire. Elle a entendu la respiration longue et régulière d'une personne profondément endormie. Rassurée, elle s'est lancée à la recherche de cette fichue clé de coffre-fort.

Elle a fouillé partout, de la cave au grenier, du cellier au garde-manger, dans tous les tiroirs de la cuisine, dans les armoires, derrière chaque livre de chacun des rayons de la bibliothèque. À part la chambre de sa tante, elle n'a négligé aucun recoin. Peine perdue. La clé semblait s'être volatilisée !

Voilà pourquoi Blanche Nouille, contrairement à Xavier, n'a pas fermé l'œil de la nuit.

Elle constate qu'il fait presque jour quand elle se laisse tomber dans un fauteuil du salon, désespérée et épuisée. Elle tente un ultime effort pour se rappeler la dernière fois qu'elle a ouvert ce foutu coffre-fort et ce qu'elle a bien pu faire de la clé par la suite. Mais ses pensées s'embrouillent, et bientôt, une multitude de clés se mettent à danser devant ses yeux. Chaque fois qu'elle essaie d'en attraper une, celle-ci lui échappe avec un petit rire sournois.

Elle dort depuis quelques minutes à peine quand elle est réveillée en sursaut par l'arrivée de Mathilde, fidèle au poste. Elle regarde sa cuisinière d'un air hébété, le teint pâle et les yeux vides.

—Vous m'aviez demandé de venir tôt, madame Blanche, dit Mathilde, comme pour s'excuser, quand elle voit le regard perdu de sa maîtresse. Vous vouliez que tout soit prêt pour le lever de votre tante.

— Ah! oui… Oui, oui… balbutie Blanche Nouille. Vous êtes parfaite, ma chère Mathilde.

Du coup, elle se souvient aussi, pour son plus grand malheur, que la visite d'inspection de la tante Ursula n'était pas seulement un mauvais rêve…

10

—◆—

Malgré les craintes de Blanche Nouille, quelques heures plus tard, les opérations vont bon train. Depuis son arrivée, au petit matin, Mathilde a disposé un peu partout sur les meubles plusieurs bibelots de famille – des horreurs d'un autre âge, mais bon. Puis, elle a tout fait reluire, a étendu une nappe propre sur la grande table de la salle à manger, a sorti les plus beaux couverts et a préparé du jus bien frais, du thé bien chaud et du café bien fort.

À présent, elle se démène à la cuisine, aidée par Mélinda qui a engouffré son petit-déjeuner en quatrième vitesse pour lui prêter main-forte.

Esbrouffe est encore en train de se battre avec un œuf mollet qu'il tente de dépouiller de sa coquille. C'est une opération très délicate, parce qu'un œuf mollet, par définition, c'est mou. C'est aussi plutôt chaud et drôlement glissant. Retirer la coquille d'un œuf mollet sans qu'il s'écrase en vous dégoulinant tout son jaune sur les doigts, ce n'est donc pas une mince affaire.

Clara mange distraitement une tartine de confiture de prune. Comme Blanche Nouille, elle a mal dormi, et pour la même raison. Elle aussi a cherché la clé du coffre-fort, mais en recourant à une méthode bien différente. Étendue de tout son long sur la moquette au pied du lit de son amie, elle a pris quelques grandes inspirations, les yeux fermés, pour se détendre et se concentrer. Puis, elle s'est plongée dans un exercice de visualisation que les Clairvoyants apprennent dès la maternelle. Pendant des heures, elle a tenté de « voir » dans son esprit l'endroit où se trouvait la clé du coffre-fort. Elle a fait mentalement le tour de toutes les pièces de la maison. Mais comme elle n'a jamais vu cette clé, elle ne savait pas si elle devait chercher une petite ou une grande clé, dorée ou argentée, à tête ronde ou carrée. Cela rendait les choses plutôt difficiles ! Elle y serait sans doute parvenue si elle avait eu sa boule de cristal. Mais celle-ci lui a été volée à Onaria par nul autre que le Grand Schrapzzz. Clara est convaincue que son ennemi l'a emportée avec lui dans le monde d'En bas. Peut-être même que son précieux instrument se trouve à seulement quelques dizaines de mètres, dans la maison du sinistre Escogriffe, mieux connu ici sous le nom de monsieur Lenoir. Mais voilà : elle ne peut pas y mettre les pieds à cause de l'interminable enquête sur les crimes de méchanceté juvénile et sur la mystérieuse disparition du principal suspect. Les agents de police montent toujours la garde devant chaque porte de l'imposante demeure, au cas où le fuyard reviendrait, ce qui est vraiment mal connaître le Grand Schrapzzz ! Clara sait bien qu'il ne serait pas assez stupide pour se jeter ainsi dans la gueule du Croquiou – enfin, on dit « loup » dans le langage des humains.

Bref, tout ça pour dire qu'elle a eu beau se creuser les méninges, elle n'a rien vu et elle doit se rendre à l'évidence. Elle a beau être une Clairvoyante, elle n'a pas la plus petite intuition de la plus minuscule miette du début d'une idée de l'endroit où se trouve la clé que Blanche Nouille cherche si désespérément.

Delphinia, pour sa part, a des préoccupations beaucoup plus terre-à-terre. On dirait qu'elle ne se rend pas bien compte de la gravité de la situation. Depuis qu'elle est arrivée au manoir, elle goûte à un nouveau plat chaque matin et aujourd'hui ne fait pas exception à la règle. En ce moment, elle découvre avec ravissement la confiture d'églantier, dont le parfum lui rappelle à s'y méprendre les rougines d'Onaria.

Quant à Frizouille, il va plutôt bien, considérant que son crâne est garni de quelques bosses de belle taille et assez douloureuses. Il a été stupéfait de se réveiller, au petit matin, sous le lit de Blanche Nouille. Il a tout de suite voulu qu'on lui raconte dans les moindres détails tout ce qui s'était passé et tout ce qui s'était dit pendant son sommeil.

Ce qui l'a le plus bouleversé, ce n'est pas qu'il ait manqué se noyer dans son potage, ni qu'on ait dû le traîner de la cuisine à l'escalier, ni que sa tête ait heurté les marches à plusieurs reprises, ni que la tante ait failli les trouver, ni que le Blitz ait été obligé de lui boucher le nez pour l'empêcher de ronfler. Non, ce qui l'a profondément peiné, c'est d'apprendre que Blanche Nouille ne semble pas aimer ses parents. Elle qui est si douce, si gentille, si aimante, justement. Ce n'est pas normal. Pour qu'elle agisse comme s'ils n'existaient pas, il faut qu'il se soit passé entre eux quelque chose de très grave. Et il voudrait bien aider sa chère amie à guérir de cette grande blessure.

Ce matin, il lui a à peine parlé, car pendant qu'ils mangent à la cuisine, elle fait le guet au pied de l'escalier. Elle veut alerter ses protégés si jamais la tante Ursula, une lève-tard invétérée, décide ce jour-là, comme par exprès, de bousculer ses habitudes en se levant à l'heure des poules. Qui sait si elle n'aura pas aussi l'idée saugrenue d'inspecter la cuisine, elle qui n'y a pas mis les pieds en quatre-vingt-six ans ! Il faut s'attendre à tout avec elle.

Le Vieuzomme réfléchit en mastiquant son pain grillé badigeonné de miel. Perdu dans ses pensées, il suit machinalement du regard le va-et-vient de Mélinda et de Mathilde. Après avoir préparé des gaufres, dont il paraît que la tante Nouille raffole, elles sont déjà affairées à réunir tous les ingrédients nécessaires pour le repas de midi, une salade de lentilles, un autre des plats préférés de l'aïeule.

Soudain, il est brusquement tiré de sa rêverie :

— Ma tante ! Que vous voilà matinale ! s'écrie Blanche Nouille en apercevant la tante Ursula, qui vient d'apparaître en haut de l'escalier.

Elle est vêtue d'un extravagant peignoir bordé de dentelle et chaussée d'escarpins en soie de Chine qui semblent dangereusement petits et instables pour une dame de cet âge. On jurerait même qu'elle a gardé ses bijoux pour dormir.

Aux deux mots « Ma tante ! », claironnés bien fort par Blanche Nouille pour que ses amis les entendent, un vent de panique balaie la cuisine, où tout devient rapidement très confus.

Delphinia se frappe rudement la tête sur la table en voulant remettre à la hâte ses souliers à talons hauts, qu'elle avait retirés parce qu'ils lui font mal aux pieds. Esbrouffe, en se levant vivement pour venir au secours de l'Elfe, laisse échapper l'œuf qu'il avait enfin réussi à dénuder. Celui-ci va s'écraser au milieu de la pièce, crève sur le carrelage et laisse son jaune s'écouler doucement. Clara, en voulant ramasser à la hâte toutes les assiettes qui traînent sur la petite table de service, accroche au passage un gros pot de miel.

Pendant une fraction de seconde, on dirait que le temps s'arrête. Tous restent suspendus, impuissants devant l'effroyable catastrophe qui va bientôt s'abattre sur eux.

Heureusement, Frizouille se penche vivement et réussit à rattraper le pot juste avant qu'il n'éclate sur la céramique avec un bruit d'enfer qui aurait sûrement alerté la tante.

Ils éprouvent un vif soulagement, le temps d'entendre l'inspectrice se plaindre :

— J'ai fort mal dormi. Il y avait dans ma chambre un son étrange, comme un bruissement de papier froissé. Dès que j'y prêtais l'oreille, il n'y avait plus rien. Mais aussitôt que je me rendormais, le bruit me réveillait à nouveau. Une véritable torture !

Frizouille pâlit en entendant ces paroles. Mais les autres ne le remarquent pas.

Déjà Clara le tire par la manche. C'est tout juste si elle lui laisse récupérer le bâton de marche du grand-père Nouille, que le Vieuzomme emporte partout comme le plus précieux des trésors depuis que Blanche le lui a confié.

D'après le plan établi, il est convenu qu'ils fileront au salon pour aller rejoindre, par la grande bibliothèque, l'escalier qui monte à l'étage. Ils doivent le faire au moment précis où la tante passera de l'autre côté pour emprunter le couloir qui mène à la salle à manger. Ils s'éclipsent donc en coup de vent, mais une fois parvenus au salon, ils constatent avec effroi qu'ils ne sont que quatre.

En effet, Mélinda est restée en arrière. Elle vient de se figer net, au milieu de la cuisine, tenant dans ses mains un bol de grès rempli de lentilles à faire cuire. Jusqu'à cet instant, elle ignorait tout du lever de la tante, puisqu'elle revenait à peine du garde-manger, d'où elle n'avait pas entendu le signal donné par Blanche Nouille.

Elle hésite, regarde d'un côté, de l'autre, puis se précipite vers Mathilde qui, justement, tend les mains pour accueillir le bol. Comble de malchance, elle pose le pied droit sur une grande nappe de miel, et le gauche sur du jaune d'œuf coulant. Elle glisse et tombe sur le derrière. Mathilde fait un mouvement pour rattraper le bol mais ne réussit qu'à l'envoyer valser sur les dalles où il se fracasse avec un bruit assourdissant. Les lentilles sèches sont projetées dans toutes les directions, jusque dans la salle à manger. Il y en a absolument partout.

— Mais qu'est-ce que c'est que ce vacarme? s'écrie la tante d'une voix ulcérée.

Elle accélère le pas pour voir de quoi il retourne.

À peine a-t-elle posé ses escarpins en soie de Chine sur le parquet de la salle à manger que ses deux pieds se dérobent sous elle. Ses yeux s'ouvrent tout grands de surprise et de frayeur. Ses bras battent l'air en faisant de larges moulinets dans le vide, tandis qu'elle se met à pédaler dangereusement au milieu des lentilles dures comme des billes. Elle part d'abord vers la droite, puis revient vers la gauche, tangue ensuite d'avant en arrière. Blanche Nouille cherche à la rattraper, mais elle patine sur place dans les lentilles.

Alertée par les hurlements de la tante, Mélinda, qui filait au pas de course rejoindre les autres, retourne dans la salle à manger en passant par le salon et se précipite derrière la tante en caracolant. Avec une vivacité digne d'un joueur de football américain, elle plonge au sol, attrape par une patte l'un des fauteuils rangés autour de la table et réussit à le pousser tout contre les jambes de la dame, au moment où celle-ci perd l'équilibre vers l'arrière. Elle tombe assise sur le fauteuil, le cœur battant la chamade, le chignon de travers, mais sans la moindre égratignure.

Le temps qu'Ursula se remette de ses émotions, la Malingre a déjà disparu, vous pensez bien! Lorsque la tante se retourne pour voir qui a placé la chaise sous son honorable postérieur, elle n'aperçoit que Gaspar, l'homme à tout faire. Il est entré comme par miracle à cet instant précis, afin de recevoir ses instructions pour la journée. Il se dandine dans l'encadrement de la porte, sa casquette à la main. Il a l'air ahuri de quelqu'un qui arrive après le passage d'une tornade sans avoir su qu'on en annonçait une.

— Gaspar, cher Gaspar! s'écrie vivement Blanche Nouille, qui s'est agrippée aux poignées du grand buffet de chêne pour ne pas tomber. Je ne sais comment vous remercier. Vous avez sauvé ma tante d'une bien mauvaise chute et d'une fracture certaine. Ça ne pardonne pas, les fractures, quand on est une digne octogénaire comme ma tante Ursula. N'est-ce pas?

Gaspar reste là, abasourdi, hésitant. Il n'a jamais entendu parler de la tante Ursula et n'a aucune idée de ce qui s'est passé, mais il comprend, au regard suppliant de sa patronne, qu'il doit se prêter au jeu.

— Ah ça, non! C'est sûr. Ça ne pardonne pas!

L'aïeule se retourne vivement vers sa nièce. Elle a la nette impression qu'on vient de lui jouer un sale tour. Mais Blanche affiche un air si sincèrement soulagé qu'un doute subsiste dans son esprit. Elle décide donc de se taire, car il n'y a rien qu'elle déteste plus que de se tromper. Tant pis. Elle fera sa petite enquête en temps et lieu. Pour l'heure, elle se contente de regarder sa nièce avec l'air féroce d'un pitbull à qui on vient d'arracher son os.

Blanche Nouille profite du bref moment d'hésitation de son aïeule pour reprendre les choses en main. En s'appuyant sur le rebord du buffet, puis de la table, elle va chercher un balai et entreprend de frayer un passage à sa tante Ursula. Comme elle ignore si les Onariens ont pu s'esquiver à l'étage et qu'elle veut les avertir du changement de plan, elle dit très fort :

— Le temps qu'on nettoie tout ça, je vous fais monter votre petit-déjeuner dans votre chambre. Qu'en dites-vous, ma tante ?

— J'en dis que tu me casses les oreilles. Cesse de hurler de la sorte. Je ne suis pas sourde ! répond rageusement la tante.

Elle se lève dignement, replace une mèche qui lui est tombée devant les yeux, rassemble les pans de son peignoir, récupère ses escarpins et marche à petits pas dans le sentier créé à coups de balai devant elle, au beau milieu d'un océan de légumineuses.

— Moi qui voulais vous faire une belle surprise, dit Blanche Nouille sur un ton faussement joyeux en continuant d'ouvrir la voie. C'est raté.

— Belles ou laides, je déteste les surprises, laisse tomber la tante.

— Même une bonne salade de lentilles comme vous les aimez tant?

— Si tu t'informais un peu plus de nous, petite sans cœur, tu saurais que je ne mange plus de salade de lentilles depuis des années. Ça me ballonne le ventre et me fait faire des vents… C'est très gênant! Non, maintenant, je préfère les omelettes bien tendres et bien légères.

— À la bonne heure alors, répond la fermière comme si elle n'avait pas entendu la critique. J'ai des poules pondeuses. Je vous promets que vous aurez ce midi une omelette fabuleuse, avec des œufs tout frais du jour. Vous verrez, il n'y a rien de meilleur.

11

——◆——

Dès qu'il a entendu la tante Ursula parler d'un bruit de papier froissé l'ayant empêchée de dormir, Frizouille a été pris de panique et a bondi avec l'agilité de sa jeunesse.

Sans perdre une seconde, il a grimpé les marches deux à deux et s'est précipité dans la chambre de la dame qui, heureusement, avait oublié cette fois d'en fermer la porte à clé. Il n'a donc pas eu connaissance de ce qui s'est passé. Au moment où le plat de lentilles s'est fracassé, il était déjà parvenu à l'étage.

Il s'est rué vers le lit, dont il a repoussé le matelas aussitôt. Depuis la veille, il se demandait comment récupérer ce qu'il avait caché là-dessous quand il croyait que cette chambre était la sienne.

Car Frizouille a un secret.

Clara la Devinière l'a déjà taquiné sur sa « belle Blanche Nouille », comme elle dit, mais elle ignore à quel point Frizouille a de tendres sentiments pour sa nouvelle amie. Et elle n'en saura pas davantage. Dès qu'il a appris que, dans le monde d'En bas, la Clairvoyante était dotée d'un pouvoir inattendu qui lui permettait de lire les pensées des gens lorsqu'ils étaient suffisamment près d'elle, il a pris soin de garder ses distances. Car ce qu'il pense, il veut le garder pour lui tout seul.

Disons-le franchement, depuis qu'il habite le manoir, Frizouille a une idée fixe. Il veut se faire apprécier de cette femme qu'il trouve si extraordinaire. Il souhaite devenir son ami, son confident, un être précieux sur qui elle pourra s'appuyer, elle qui s'oublie toujours pour ne penser qu'aux autres.

Dans sa grande sagesse, il sait bien que pour espérer devenir le confident de Blanche Nouille, il faut d'abord qu'il comprenne les comportements – parfois si étranges – de l'espèce à laquelle elle appartient.

C'est pourquoi, depuis des semaines, il se documente en lisant tous les livres qui se trouvent sur les rayons, heureusement bien garnis, de la bibliothèque de son hôte. C'est pour cela aussi qu'il écoute la musique des humains, qu'il regarde les uns après les autres tous les films de la collection qui est rangée dans les armoires du boudoir. Il a même vu à peu près tout ce qui passe sur les différentes chaînes de télévision, entre le lever et le coucher du soleil.

Il faut dire que cet exercice, loin de faire de lui un expert de l'humanité, l'a au contraire complètement déboussolé. Il a l'impression que plus il observe ces êtres particuliers, moins il les comprend. Mais curieusement, moins il les comprend et plus il apprécie Blanche Nouille. Elle est très certainement la plus onarienne de tous les humains.

Par contre, c'est grâce à la télévision qu'il a eu une idée vraiment géniale. Surtout à cause de ces très courtes histoires qui reviennent souvent et qui parlent de tout ce que l'on peut acheter dans le monde d'En Bas. Évidemment, comme il n'existe à Onaria ni télévision ni magasin, vous aurez deviné que Frizouille n'avait jamais vu de messages publicitaires de toute sa – pourtant très longue – vie.

Il sait bien que pour acheter les produits annoncés, il faut des billets de banque, ce que les gens appellent de l'argent. Mais de l'argent, il en a ! Ses amis et lui avaient amassé la respectable somme de quatre-vingt-un et quarante-trois en collectant des bouteilles. Comme ils ont été hébergés par Blanche Nouille, l'édredon qu'ils voulaient acheter avec cet argent est resté dans la vitrine et l'argent, dans ses poches !

Convaincu que ses amis approuveront son geste, il a décidé d'offrir un cadeau à leur bien-faitrice pour la remercier de son hospitalité.

Depuis, il ne cesse de se creuser les méninges pour résoudre une question fort délicate : trouver le présent qui lui fera le plus grand plaisir.

D'après ce qu'il a vu dans de vieux films romantiques en noir et blanc, le mieux, ce serait de lui offrir des fleurs, un bijou ou du parfum. Un autre film, qui racontait l'histoire d'un avare, lui a aussi donné l'idée de cacher ses billets de banque sous son matelas en attendant d'arrêter son choix. Ce qu'il a fait.

Et puis un matin, alors qu'il se trouvait dans le boudoir, absorbé par un thriller policier, il a eu une belle frousse en entendant tout à coup un drôle de cliquetis. L'étrange bruit semblait provenir de la porte d'entrée. Au moment où il s'en est approché avec d'infinies précautions, il a vu des doigts entrer par une petite trappe aménagée dans la porte. Les doigts tenaient quelques enveloppes qu'ils ont jetées sur le sol.

Blanche Nouille a bien ri de la frayeur du Vieuzomme. Elle lui a expliqué que c'était le facteur qui, comme tous les matins, livrait le courrier. Ensuite, voyant Frizouille très intéressé par un catalogue qui annonçait les nouveautés de l'automne, elle le lui a gentiment offert.

Depuis ce jour, avec la permission de son hôte, il attend impatiemment le passage du facteur pour vérifier s'il apporte un nouveau dépliant publicitaire.

Il en a ainsi amassé toute une collection à une vitesse surprenante. Et il a parcouru chacun d'eux méticuleusement, du début à la fin, à la recherche du cadeau parfait pour Blanche Nouille. C'est fascinant comme on trouve de tout dans ces pages : des produits de beauté, des articles de rangement, des voyages, des vêtements, de la nourriture, des électroménagers, des outils et même des voitures. Mais les voitures coûtent tellement de billets de banque que Frizouille ne peut imaginer le nombre de bouteilles vides qu'il faudrait encore rapporter au Dépanneur Lève-tôt pour offrir un tel cadeau à sa chère Blanche Nouille.

Pour n'en perdre aucune, il a pris l'habitude de ranger soigneusement ses précieuses publicités à la même place que son argent, c'est-à-dire sous son matelas.

Ce matin, il a donc été le seul à deviner l'origine du bruit de papier froissé qui a tenu la tante éveillée. Et pour éviter de causer plus d'ennuis à son amie, il a décidé de reprendre son bien au plus vite.

À genou près du lit, il a rassemblé l'argent à la hâte et l'a glissé dans ses poches. C'est au moment où il achevait de récupérer les cent trente-deux dépliants publicitaires qu'il a entendu très distinctement la voix de Blanche Nouille proposant à la tante de lui faire monter son petit-déjeuner dans sa chambre.

Dans sa chambre ? Aïe, aïe, aïe ! Il allait se faire prendre la main dans le sac comme un vulgaire voleur !

Il a vite filé en douce en serrant très fort contre lui sa brassée de catalogues, feuillets et brochures publicitaires. Déjà qu'il avait frôlé la catastrophe avec la capote militaire, pas question cette fois-ci qu'un seul indice trahisse sa visite dans la chambre de la redoutable inspectrice.

À peine a-t-il refermé la porte de la chambre voisine, où il s'est réfugié, que la dame pose le pied sur le palier. Ouf ! Il l'a échappé belle.

C'est au moment où elle hurle à pleins poumons qu'il comprend avec horreur que, dans sa hâte, il a oublié au pied du lit le bâton de marche de grand-père Nouille !

Évidemment, le cri strident a été entendu dans toute la maison où il produit l'effet d'une bombe.

Blanche Nouille a l'impression de revivre le cauchemar de la veille quand elle perçoit des pas précipités qui rebroussent chemin et s'engagent dans l'escalier.

— Blaaaaaanche ! Blaaaaaanche !

Et comme la veille, elle s'élance au-devant de sa tante Ursula. Cela laisse le temps à Delphinia, à Esbrouffe, à Clara et à Mélinda de battre en retraite vers la cuisine, où ils évitent de justesse les lentilles éparpillées sur le sol, que Mathilde et Gaspar n'ont pas encore fini de ramasser.

— Cette fois, c'est mon père qui est venu dans ma chambre, hoquette l'aïeule en agrippant la main de Blanche.

— Grand-père Nouille ? s'exclame Blanche, tout émue.

— Oui. Viens ! Viens vite !

Encore cette fois, quand elles retournent dans la chambre de la vieille dame, il n'y a absolument plus rien à voir.

L'octogénaire cherche de l'air en ouvrant et en fermant la bouche, comme un poisson hors de l'eau.

— Non. Ce n'est pas possible. Je l'ai vu ! Il était là, fait-elle en pointant le sol.

— Grand-père Nouille était là ?

— Pas lui, son bâton de marche. Tu sais, celui sur lequel il avait perdu un temps fou à sculpter toutes sortes de figures bizarres.

— Oui, cela me dit quelque chose, bredouille Blanche Nouille en pâlissant.

— Eh bien, il l'a déposé là, au pied de mon lit.

Elle fait le tour de la pièce, ouvre la porte du placard, regarde derrière les tentures.

— Jette donc un coup d'œil sous le lit, ordonne-t-elle.

Blanche Nouille s'exécute aussitôt et, à son grand soulagement, elle ne voit rien sous le lit, pas même un Onarien.

Tante Ursula insiste pourtant :

— Je sens des présences dans cette maison. Je perçois des voix, des pas furtifs, des déplacements rapides d'un endroit à un autre. J'entends même des portes qui s'ouvrent et se referment.

Blanche se mord les lèvres, puis tente une explication :

— Mathilde a fait du ménage ce matin et Gaspar...

— Cesse de me prendre pour une imbécile, veux-tu ?

— Vraiment, je ne sais que vous dire.

La tante lui jette un regard furieux.

— Eh bien justement, ne dis rien ! Va plutôt me chercher mon petit-déjeuner, grogne-t-elle avec l'amabilité d'un grizzly qu'on aurait par mégarde tiré de son sommeil hibernal. Mais sache une chose, ma nièce : si tu crois pouvoir me cacher encore bien longtemps ce qui se trame ici, tu te trompes. Tu te trompes lourdement et cela te mènera à ta perte !

Sur ce, sans plus prêter la moindre attention à Blanche, elle saisit un cahier sur la commode, s'installe au pupitre placé devant la fenêtre et se met à noircir la première page d'une grande écriture rageuse.

Blanche Nouille comprend que c'est son rapport d'inspection que la tante a commencé à rédiger. Et très certainement, cela n'augure rien de bon.

12

—◆—

Xavier n'a jamais été aussi humilié! Lui, le champion de foot, l'idole de l'école que les garçons rêvent d'égaler. Lui, l'athlète que les filles aimeraient secrètement avoir comme petit ami. Pendant le cours d'histoire, son professeur l'a couvert de ridicule devant toute la classe!

Le pire, c'est qu'il s'y attendait sans rien pouvoir faire pour l'empêcher. À peine a-t-il ouvert les yeux ce matin-là qu'il a été pris de panique en s'apercevant qu'il s'était bêtement endormi. Sans même déjeuner, il a tenté une dernière fois de retrouver son travail avant son cours d'histoire. Le seul résultat qu'il a obtenu, c'est d'arriver en retard à l'école et de se faire sermonner par le directeur. La journée commençait plutôt mal. Mais connaissant monsieur Laurencelle, il savait que le pire restait encore à venir, et il avait parfaitement raison.

Monsieur Laurencelle a levé les yeux de sa pile de travaux et a fixé Xavier en haussant un sourcil:

— Xavier, où est ton travail ?

L'élève a avalé péniblement sa salive.

— Euh... Je suis désolé, monsieur... Je... J'ai eu un problème technique.

— Ah bon ? a répondu son professeur, un éclair d'ironie dans l'œil. Un problème technique. Quel genre de problème technique ? Ton cerveau a cessé de fonctionner, tout à coup ?

Toute la classe a éclaté de rire et chacun de ces trente-deux rires a été comme une aiguille qu'on lui plantait dans le cœur.

— Je voulais dire... J'ai eu un problème technique avec mon ordinateur.

— Pas ton portable tout neuf ? s'est exclamé monsieur Laurencelle sur un ton sarcastique. Celui dont tu sais si bien te servir que tu peux trouver en une fraction de seconde toutes les statistiques de foot des soixante dernières années, de Pelé à Beckham en passant par Romero ?

— Oui, a répondu tout bas Xavier en baissant le nez, rouge de honte.

— Tiens donc ! Si je comprends bien, ton ordinateur a avalé ton devoir ?

— D'une certaine manière, oui.

— Sais-tu combien de petits drôles m'ont déjà servi ce genre d'excuse ? Beaucoup trop pour que je te croie. Tu manques terriblement d'imagination, Xavier. Ce ne serait pas plutôt parce qu'il y a eu trop de bons matches de foot à la télé ? Ou parce que tu as oublié, tout bêtement ?

Cette fois, un lourd silence s'est abattu sur la classe. Incapable de parler tellement il avait la gorge serrée, Xavier a simplement fait non de la tête. Il a senti des larmes de rage lui monter aux yeux. À cet instant-là, il a franchement détesté monsieur Laurencelle.

— Je te donne jusqu'à la fin de l'après-midi pour me rendre ton devoir. Si, à ce moment-là, je ne le trouve pas sur mon bureau, tu auras un beau zéro, aussi vide et aussi rond qu'un ballon de foot !

Xavier a dû serrer les dents et faire un immense effort pour ne pas remballer toutes ses affaires et sortir en courant.

L'humiliation l'avait piqué au vif et il était bien déterminé à prouver qu'il n'avait pas menti. Il a donc passé la récréation du matin sur son fameux et prétendu miraculeux site Internet, mais sans résultat.

Obstiné, il y a consacré aussi toute l'heure du repas. Il a à peine regardé Jolina lorsqu'elle est venue lui proposer de jouer au foot avec elle. Il s'est contenté de marmonner qu'il n'avait pas le temps. Habituellement, ils ne se quittent pas d'une semelle, Jolina et lui. Il fallait donc qu'il soit vraiment, vraiment préoccupé pour ne pas lui prêter la moindre attention.

Jolina n'a pas posé de question. Elle est repartie, l'air triste, en reniflant discrètement pour refouler ses larmes. Elle ne comprenait pas ce qu'elle avait bien pu faire pour mériter que son ami ne lui adresse pratiquement plus la parole depuis quelque temps.

À la récréation de l'après-midi, il a pris les grands moyens. Il a supplié Christian Brazeau de l'aider. Ceux qui connaissent Christian Brazeau savent que lui demander de l'aide est un exploit admirable et une preuve indéniable d'humilité. Ce garçon est franchement le plus détestable et le plus vantard de l'école, mais il est aussi un vrai crack en informatique.

C'est donc avec beaucoup d'espoir que Xavier attend à présent le verdict du brillant expert. Ce dernier fouille dans les données de son ordinateur depuis une bonne vingtaine de minutes, pianotant sur le clavier à une vitesse hallucinante, les sourcils froncés et les lèvres pincées, dans un grand effort de concentration.

Tout à coup, il se détend, hésite un moment en faisant la moue, referme le couvercle du portable et se tourne vers Xavier :

— Je ne comprends vraiment pas comment t'as fait, mais ton travail est irrécupérable. Rien à faire. Et si moi, je ne peux pas le faire, personne d'autre ne le peut. Tu le sais, je le sais, tout le monde le sait.

Sur ce, il lui remet son portable et tend la main. Xavier soupire et y dépose les quelques billets convenus car, bien entendu, l'aide de Christian Brazeau n'est jamais gratuite.

L'autre empoche l'argent et se lève en hochant la tête avec un petit sourire de mépris.

— Si tu veux un conseil, tu devrais continuer de jouer au foot et faire tes devoirs à la main, comme dans le bon vieux temps. Un ordinateur de ce prix-là, ce n'est pas pour les amateurs comme toi.

Xavier se sent aussi nul que s'il avait marqué un but dans le filet de sa propre équipe. Anéanti, il suit du regard le jeune garçon qui s'éloigne en se dandinant, le nez en l'air et les poings dans les poches. Sa seule et bien mince consolation, c'est de savoir que, contrairement à lui, qui est le héros sportif de l'école, Christian Brazeau, avec son visage boutonneux et son corps maigre, ne plaît pas, mais alors pas du tout, aux filles.

À ce moment précis, il voit quelqu'un croiser Christian Brazeau et venir tout droit dans sa direction. C'est une femme. Elle marche d'un pas rapide. Des jeans délavés, un long chandail qui lui descend presque à mi-cuisse, des cheveux bouclés et grisonnants, un peu en broussaille, on dirait une hippie des années 1970.

Mais qu'est-ce que Blanche Nouille vient faire ici ? se demande-t-il.

Elle s'arrête à sa hauteur, esquisse un sourire embarrassé, regarde nerveusement à droite, puis à gauche.

— Bonjour Xavier, murmure-t-elle rapidement. Je suis vraiment désolée de venir t'embêter ici, mais j'ai de gros ennuis.

— L'inspection de votre tante Ursula se passe mal ? s'inquiète Xavier.

— Plutôt, oui.

En effet, Blanche Nouille aussi a son lot de problèmes. Ce midi, elle n'a pas pu servir l'omelette promise à la tante Ursula.

Depuis des années, ses poules produisent leur œuf quotidien avec la régularité d'une horloge. Eh bien, aujourd'hui, elles ont obstinément refusé de pondre. Toutes ! On jurerait qu'elles s'étaient passé le mot. Aucun doute possible, c'est à cause de Pouliotte qui boude avec beaucoup d'énergie depuis que Mathilde l'a enfermée au poulailler à l'arrivée de l'inspectrice. Elle est de si mauvaise humeur que cela terrorise ses compagnes au point de chambouler leur rythme biologique. Bref, il n'y avait pas un seul œuf dans les couvoirs. Et, comme chacun sait, on ne peut pas faire d'omelette sans casser des œufs !

Cela n'allait pas ramener Blanche dans les bonnes grâces de sa tante, on s'en doute. Mathilde a eu beau préparer un autre délicieux repas, la détestable dame n'a pas voulu y toucher. Et comme pour se venger, elle a ordonné à sa nièce de lui présenter les comptes sur-le-champ.

Prise au dépourvu, Blanche Nouille a sauté sur la première idée qui lui est passée par la tête pour justifier qu'elle ne pouvait pas le faire tout de suite.

— Ce sera peut-être un peu plus long que prévu, a-t-elle répondu en catastrophe. Voyez-vous je… je suis en train de tout informatiser. Autrement dit, je…

— Je sais ce que veut dire informatiser, l'a coupée sèchement sa tante. J'ai beau être âgée, je ne suis tout de même pas un dinosaure. Je suis une femme de mon temps, et je sais à quoi ressemble un ordinateur, qu'est-ce que tu crois ! C'est bien ce que j'ai vu sur le coin de la table à mon arrivée, non ?

— Ou… oui.

— Bon. Je ne sais pas à quelle vitesse ces machines opèrent, mais je te donne jusqu'à demain midi, pas une minute de plus !

Xavier a écouté en silence le récit de Blanche Nouille. Il devine déjà où elle veut en venir.

— J'ai commis une énorme bourde en lui disant cela. Je ne sais pas du tout ce qui m'a pris. Je n'ai pas l'habitude de mentir, je n'ai aucun talent dans ce domaine et je trouve ça franchement épuisant.

Xavier comprend parfaitement son amie. Lui aussi flirte dangereusement avec le mensonge, ces derniers temps.

— Mais voilà! poursuit-elle. J'ai perdu la clé du coffre-fort qui contient les comptes. Et le seul prétexte qui m'est venu à l'esprit pour gagner du temps jusqu'à ce que je l'aie retrouvée, c'est cette histoire d'informatisation! C'était vraiment une idée stupide, puisque l'ordinateur qu'elle a vu chez moi, c'est le tien. Moi, je n'en ai pas… Je ne sais même pas comment ça fonctionne.

— Oui, je m'en doute, soupire Xavier en pensant à son travail d'histoire disparu à tout jamais.

Mais il trouve son amie si bouleversée qu'il n'a pas le courage de l'affliger davantage. Puisqu'il ne peut plus rien faire pour récupérer son travail, il décide de lui venir en aide.

— Je peux vous prêter mon portable, si vous voulez, lui offre-t-il gentiment. Si votre tante demande à le voir, vous n'aurez qu'à le lui montrer.

Xavier n'est pas trop inquiet. Comme Blanche Nouille ignore son mot de passe, elle ne pourra pas accéder à ses dossiers. Il n'y a donc aucun risque qu'elle provoque un nouveau désastre.

— Vraiment? fait celle-ci, ravie, les deux mains sur le cœur. Je n'osais pas te le demander.

— Au pire, vous ferez semblant de taper sur le clavier, dit-il avec un aimable sourire, lui tendant l'appareil.

Blanche n'en finit plus de le remercier. Elle promet, et dix fois plutôt qu'une, qu'elle en prendra soin comme de la prunelle de ses yeux verts.

La cloche sonne à ce moment-là, annonçant la reprise des cours. Xavier se lève à contrecœur et se dirige vers le bâtiment, la tête basse, les épaules voûtées, imaginant déjà la déception et l'incrédulité sur le visage de ses parents quand ils apprendront qu'il a eu zéro pour son travail d'histoire.

Toute à ses propres soucis, Blanche Nouille ne remarque pas le désarroi de son jeune ami. Elle repart en quatrième vitesse, dépose le précieux portable sur la banquette de Gudule, sa camionnette à énergie solaire, et démarre sans plus attendre. Encore heureux qu'elle ait pu justifier sa visite à Val-Mont-d'Or et éviter d'autres questions !

C'est qu'après lui avoir accordé une journée de sursis pour les comptes, sa tante a immédiatement ajouté, de son ton toujours aussi détestable :

— En attendant, il y a autre chose que je veux voir dans le coffre. Tout de suite !

Blanche a senti son cœur bondir dans sa poitrine. Elle qui pensait avoir gagné du temps avec son histoire d'ordinateur, voilà que l'inspectrice exigeait qu'elle ouvre le coffre-fort ! C'était à s'arracher les cheveux. Cette visite d'inspection, en plus d'en faire une épouvantable menteuse et de la jeter probablement à la rue, allait la rendre complètement maboule !

— La clé… a-t-elle commencé sans trop savoir ce qu'elle allait encore trouver comme excuse.

— Tu as perdu la clé ! Je le savais ! Tu as toujours été une écervelée, exactement comme ton grand-père. Jamais capable de faire les choses comme il faut. Ah ! Il a été bien mal inspiré de te confier ce manoir, vraiment. Mais la famille saura tout. Je n'épargnerai aucun détail, quand bien même je mettrais un mois à écrire mon rapport !

Cette volée de critiques a donné à Blanche juste le temps qu'il lui fallait pour trouver une idée géniale.

— Non, non, non. La clé n'est pas perdue. Elle ne fonctionnait pas bien. Elle est chez le serrurier, à qui j'ai demandé d'en faire un double. Seulement, c'est un modèle ancien et très rare qu'il n'a pas dans sa boutique et qu'il a dû commander. Mais je vais aller voir tout de suite si la nouvelle clé est prête.

Sur ce, elle s'est empressée de filer en douce, après avoir demandé à Mathilde de cacher les Onariens dans le grenier pour le reste de la journée, histoire d'éviter une éventuelle catastrophe.

Sur le chemin du retour, après avoir ressenti un vif soulagement, Blanche Nouille est submergée par un immense et douloureux sentiment de honte. Elle a accumulé, avec une facilité étonnante et en deux jours à peine, plus de mensonges et de bévues que durant toute sa vie d'adulte.

Est-ce que cela pourra seulement sauver ses chers amis? Sûrement pas, si elle n'arrive pas à retrouver cette satanée clé de coffre-fort.

13

—◆—

Quand Xavier rentre chez lui, après son entraînement de foot, il comprend tout de suite que monsieur Laurencelle n'a pas perdu de temps. Ses parents sont tous les deux assis côte à côte sur le divan du salon. Ils ont l'air préoccupés et, visiblement, ils l'attendaient.

— Ton professeur d'histoire a appelé, dit sa mère en allant, comme toujours, droit au but.

— Ouais, j'avais compris, répond Xavier.

— Que s'est-il passé avec ton devoir ? le questionne son père.

— Je l'ai fait, ça je vous le jure. Sinon, est-ce que j'aurais demandé à maman la permission de l'imprimer ?

— C'est exactement ce que je me suis dit, admet sa mère.

— Mais après… après… je… il y a eu une fausse manœuvre, je ne sais pas trop. Mon devoir a disparu et je n'ai jamais réussi à le récupérer.

— Ce que je ne m'explique pas, lui dit son père, c'est pourquoi tu ne m'as pas laissé t'aider quand je te l'ai offert.

— Je… Je trouvais que je vous avais déjà causé assez de soucis comme ça, ces derniers temps. Je pensais que je pourrais me débrouiller tout seul.

— Ça, c'est de l'orgueil mal placé, mon garçon.

Xavier soupire.

— En tout cas, reprend sa mère, monsieur Laurencelle ne t'a pas cru, lui. Mais je lui ai expliqué ce que tu as vécu récemment : ton enlèvement, le traumatisme, ton état actuel.

— Qu'est-ce qu'il a, mon état actuel ? demande Xavier, presque vexé.

Sa mère hoche la tête, l'air triste :

— Te ne parles plus, toi qui es habituellement si bavard. Tu ne nous racontes plus rien. Tu t'enfermes dans ta chambre. Tu n'as plus d'enthousiasme, on dirait. Tu n'es plus mon petit garçon heureux.

Xavier regarde ses parents. Il s'imagine un instant en train de leur raconter qu'il existe quelque part un univers parallèle qui s'appelle Onaria, qu'on y trouve trois cent quatre-vingt-huit espèces différentes d'êtres vivants, tous plus étranges les uns que les autres, que l'un d'eux – très méchant – a été leur directeur de banque sans qu'ils s'en rendent compte et que cinq autres se cachent chez une originale qui habite un drôle de manoir dans le Parc du mont d'Or. S'il faisait ça, ses parents l'emmèneraient tout de suite chez un psy, c'est sûr. Mais surtout, il sent au plus profond de son être que garder le secret de l'existence de ses amis, c'est beaucoup plus qu'un devoir, c'est une mission. Il a lu le livre *Onaria, le monde parallèle*. Il a compris que cet univers ne doit pas être connu des humains. Et c'est à lui – à Blanche Nouille aussi, bien sûr – de voir à ce que la frontière entre ces deux mondes demeure complètement étanche.

— Je vieillis, c'est tout, se contente-t-il de répondre.

Ce qui est tout de même la vérité. On vieillit tous, c'est inévitable.

— Je ne crois pas que vieillir devrait te faire cet effet-là, lui dit doucement sa mère en le regardant droit dans les yeux. Mais je vois que tu n'es pas encore prêt à nous parler de ce qui te préoccupe, et je le respecte. Sauf que ça ne pourra pas durer encore très longtemps, Xavier. Si tu as des ennuis, tu dois nous le dire.

Le jeune garçon serre les mâchoires, infiniment triste mais impuissant à rassurer sa mère.

— Pour ton devoir, ajoute-t-elle après un moment, le professeur a accepté de te donner une seconde chance.

— De mon côté, conclut son père d'une voix qui se veut encourageante, je me suis libéré dès que ta mère m'a appelé et me voilà ! Va chercher ton ordinateur, je vais t'aider.

Pendant quelques secondes, Xavier regrette amèrement d'avoir des parents qui s'occupent autant de lui.

— Je ne l'ai pas, laisse-t-il tomber d'un ton morne.

— Comment ça ? s'étonne son père.

— Tu te l'es fait voler ? s'inquiète sa mère.

— Non, non… Je… Je l'ai prêté à une amie qui en avait besoin. Elle a un truc à faire et pas d'ordi.

— Quel truc ? demande encore sa mère.

— Je ne sais pas, moi, s'impatiente Xavier qui a l'impression de subir un interrogatoire. Je n'ai pas fait d'enquête.

Devant l'air blessé de ses parents, il se dépêche d'ajouter :

— Pardon. Je ne voulais pas dire ça. Je suis fatigué. J'ai eu une journée vraiment pourrie.

Sa mère se mordille les lèvres, un peu embarrassée :

— J'espère qu'elle n'a pas une mauvaise influence sur toi, au moins ?

— Qui ça ? demande Xavier, sincèrement surpris.

— Jolina ! répond-elle, comme si c'était une évidence.

Sa mère croit toujours que lorsqu'il parle d'une amie, c'est forcément de Jolina qu'il est question. Aujourd'hui, ça l'arrange plutôt. Il se contente donc de déclarer :

— Oh ! Non. Jolina est une fille chouette. Vraiment.

Après un moment de silence, son père tranche :

— Tu le rapportes demain, alors.

— Promis.

— Et tu ne le prêtes plus, ajoute sa mère.

— D'accord.

Rouge jusqu'aux oreilles, Xavier s'empresse de disparaître dans sa chambre.

14

Il fait une chaleur inhabituelle. La lumière qui filtre entre les grands arbres est éblouissante. Des rayons de soleil se reflètent et éclatent en mille parcelles lumineuses au fond de la mare tapissée de cailloux argentés.

Delphinia retire ses vêtements et plonge sans hésiter dans l'eau claire.

Mmmmm ! Quel délice ! La température de l'eau est parfaite. Tandis qu'elle nage sous la surface, elle sent l'onde caresser ses bras et glisser à travers son épaisse chevelure. Elle a une impression de légèreté et d'extraordinaire liberté. Elle descend jusqu'au fond de la mare Argentée, puis remonte en laissant derrière elle un double sillon de petites bulles qui lui sortent du nez. Elle émerge de l'eau, respire l'air pur à pleins poumons et contemple autour d'elle la verdure luxuriante. Jamais Onaria ne lui a semblé aussi magnifique. Elle a l'étrange impression d'avoir été absente pendant très longtemps et de ne pas s'être sentie aussi heureuse depuis une éternité.

Mais elle grimace tout à coup, car elle se rend compte qu'elle a soif. Terriblement soif. Sa gorge est sèche et douloureuse.

Elle recueille de l'eau dans le creux de ses mains et la boit avidement. Elle en reprend encore et encore, la laissant couler dans sa gorge avec un vif plaisir.

Pourtant, elle constate bientôt que, loin d'être soulagée, elle a de plus en plus soif. Plus elle boit, plus elle a soif. Inquiète, elle décide de quitter la mare pour aller demander à son père pourquoi l'eau lui donne tant soif. Elle essaie de marcher vers la rive, mais elle ne peut avancer. Des algues se sont enroulées autour de ses jambes et la retiennent prisonnière. Elle sent bientôt la panique la gagner. Elle ouvre la bouche pour crier à l'aide, mais aucun son n'en sort. Son cœur se met à battre à toute vitesse.

C'est alors qu'elle se réveille en sursaut.

Les yeux grands ouverts, elle contemple les ombres bleutées qui s'étirent sur le sol, créant des formes inquiétantes autour d'elle. Pendant un instant, elle se demande avec angoisse où elle se trouve. Puis, tout lui revient d'un seul coup : le Grand Schrapzzz, le passage brutal dans le monde d'En Bas, Blanche Nouille, le manoir, la tante Ursula et ce grenier sombre où elle a été enfermée toute la journée avec Mélinda, Clara, Esbrouffe et Frizouille.

Rageusement, elle se défait de son édredon, dans lequel elle a les jambes empêtrées.

Elle se rend compte qu'elle a, en effet, horriblement soif. Parce qu'elle a chaud, parce que l'air est poussiéreux, et aussi parce que Mathilde saupoudre trop généreusement la nourriture de ces petits grains blancs qu'on appelle du sel. À Onaria, le sel n'existe pas. On utilise différentes herbes pour parfumer les aliments, mais rien qui vous donne cette soif atroce.

Elle se lève et s'avance sans bruit vers la petite table où Mathilde a déposé un carafon d'eau. Il est vide !

Pendant un moment, elle reste immobile, réfléchissant à ce qu'elle doit faire. Mais elle est incapable de tolérer cette soif un instant de plus. Elle se dirige donc vers la trappe du grenier, qu'elle ouvre avec précaution.

Elle tend l'oreille. Il n'y a aucun bruit dans la maison. Elle se glisse dans l'étroit escalier, se figeant chaque fois que le moindre craquement se fait entendre.

Elle descend le dernier échelon et avance doucement sur la pointe de ses pieds nus. Elle s'arrête, hésitante. Il y a de l'eau tout près, dans la salle de bains, mais elle se trouve juste à côté de la chambre de la tante Ursula. Elle a bien trop peur de réveiller l'acariâtre dame. Elle décide donc d'emprunter le grand escalier et arrive bientôt au rez-de-chaussée.

Elle atteint sans difficulté la cuisine, où elle s'empresse d'ouvrir le robinet. L'eau jaillit enfin ! Elle s'en sert un verre qu'elle boit à longues gorgées, fermant les yeux tellement c'est bon. Pas autant qu'à Onaria, pense-t-elle, mais au moins, sa soif est vite étanchée.

Elle revient ensuite par la salle à manger. Attirée irrésistiblement par la lueur de la pleine lune, elle s'approche de la porte vitrée qui donne sur le jardin. Elle appuie son front contre les carreaux froids et regarde à l'extérieur. La nuit est calme, les toits de tôle des bâtiments de ferme luisent sous la lumière bleutée. Des feuilles tombent mollement des arbres, emportées par une légère brise. Elle entend une chouette hululer au loin. Elle reste là, sans bouger, un bon moment.

Puis, elle soupire en pensant qu'il lui faut retourner dans cet horrible grenier où elle a passé la journée à se morfondre. Elle ne pouvait même pas tourner en rond ni fouiller dans les malles, de peur d'attirer l'attention. Elle aimerait bien mieux rester ici à contempler la lune. Mais l'idée de tomber nez à nez avec la tante Ursula la terrifie. Elle quitte donc à regret la porte-fenêtre pour remonter vers sa cachette.

C'est à ce moment qu'elle aperçoit dans la pénombre, posé sur le coin de la table, le portable que Xavier a aimablement prêté à Blanche Nouille. Celle-ci, en rentrant, l'a placé bien en vue, à l'endroit exact où la tante Ursula l'avait vu la première fois.

Convaincue que Xavier a rapporté l'ordinateur exprès pour elle, l'Elfe le prend joyeusement sous son bras.

Tout à coup, elle entend un bruit qui lui fait tourner la tête. Elle sursaute lorsqu'elle discerne un rai de lumière sous la porte qui mène au cellier. Comme elle ne peut pas savoir que c'est Blanche Nouille qui fouille encore la maison de fond en comble pour retrouver la clé du coffre-fort, elle s'enfuit à toute vitesse.

Parvenue au grenier sans se faire prendre, elle reste très longtemps assise sur le plancher de bois, à sonder le silence de la nuit. Enfin, pas tout à fait le silence puisque, fidèle à son habitude, Frizouille ronfle comme un bienheureux. Autrement, rien. Personne ne l'a vue ni entendue.

Sachant qu'elle n'arrivera plus à dormir, elle se dirige vers une lucarne, ronde comme un œil de Lumen sur le ciel étoilé.

Pour ceux qui n'auraient pas lu *Onaria, le monde parallèle*, les Lumen ressemblent à des cyclopes et vivent sur les collines qui bordent le territoire d'Onaria.

Elle s'assoit et soulève le couvercle du portable. La lune et la lumière de l'écran lui permettent de déchiffrer sans trop de mal les lettres du clavier. Contrairement à Blanche Nouille, elle connaît le mot de passe de l'ordinateur de Xavier, et elle a appris à une vitesse surprenante comment se servir de ce fabuleux appareil. Avec empressement, elle tape l'adresse du site sur lequel son ami humain l'a inscrite pour qu'elle puisse clavarder. Elle se sent comme une âme égarée parcourant la Toile au beau milieu de la nuit, à la recherche d'une présence amie qui briserait sa solitude.

Elle perçoit un léger bruit près d'elle. C'est Esbrouffe qui s'est glissé à ses côtés en frottant ses yeux encore embués de sommeil.

— Qu'est-ce que tu fais? lui demande-t-il en bâillant à s'en décrocher les mâchoires.

— Regarde ce que Xavier m'a rapporté.

C'est alors qu'ils aperçoivent tous les deux une petite enveloppe qui émerge en tournoyant des profondeurs du monde virtuel pour venir s'immobiliser au beau milieu de l'écran. Dessus, il y a un seul mot : Delphinia.

— Tu as un message! s'exclame le Blitz, qui n'en revient pas.

L'Elfe laisse échapper un petit cri de joie.

— Chouette, alors!

Elle s'empresse de cliquer sur l'enveloppe.

C'est ainsi que Delphinia l'Elfe fait la connaissance de Charles de Noiret, un jeune humain de dix-sept ans qui veut tout, mais absolument tout savoir sur elle.

— Qu'est-ce que je lui réponds ? s'inquiète-t-elle.

— Tout sauf la vérité, en tout cas, déclare Esbrouffe, très sûr de ce qu'il avance.

Afin de trouver les bonnes réponses, ils consultent fébrilement des sites pour adolescents dont Xavier a ajouté l'adresse dans ses signets à l'intention de son amie. Le Blitz rit et dicte la première réponse, que Delphinia tape laborieusement, à deux doigts, en cherchant les lettres sur le clavier.

— Je… suis… une… jeune… actrice, articule lentement Esbrouffe.

Au mot « actrice », Delphinia lève vers lui des yeux étonnés.

— Allez, allez ! dit-il. Tu ne vas quand même pas lui dire que tu es une Elfe.

Elle hoche la tête et tape le mot.

La réponse ne se fait pas attendre.

— J'ai un secret à te confier, annonce le jeune inconnu. Je suis un prince moldave.

Émerveillée, Delphinia regarde Esbrouffe.

— C'est quoi un prince moldave ? dit-il.

— Je ne sais pas, fait-elle, déjà conquise. Mais c'est tellement romantique !

Les messages se succèdent ensuite à un rythme accéléré, elle, décrivant son teint de pêche et sa voix de velours, lui, ses prouesses à l'épée et ses voyages autour du monde.

Le Blitz et l'Elfe s'amusent comme des petits fous, si bien qu'ils y sont encore lorsque se dessinent, à travers la lucarne, les premières lueurs de l'aube.

15

—◆—

Au matin, lorsqu'elle entre dans la salle à manger, la tante Ursula trouve sa nièce assise à table devant une assiette où refroidissent deux rôties à la confiture d'abricot auxquelles elle n'a visiblement pas touché.

La tête posée sur ses bras repliés, Blanche Nouille dort profondément, rompue de fatigue après une deuxième nuit passée à chercher, en vain, la clé du coffre-fort.

— Alors ! s'écrie la tante d'une puissante voix qui fait sursauter violemment la pauvre Blanche.

Ouvrant de petits yeux soulignés de profonds cernes bleutés, elle aperçoit son aïeule qui l'observe, les deux poings sur les hanches et l'œil furibond. Elle semble d'une humeur plus exécrable que jamais.

— Tu n'as pas mieux dormi que moi, à ce que je vois, tonne-t-elle. Les bruits provenaient du grenier, cette fois. On aurait dit des pas et puis un curieux ronflement. J'aurais même juré avoir entendu de petits rires étouffés.

Comme par automatisme, des mensonges surgissent aussitôt dans l'esprit pourtant ensommeillé de Blanche Nouille. Des mensonges pour expliquer les bruits du grenier. Un hibou? Une chauve-souris? Le vent?

Mais elle ne dit rien. Elle se contente de regarder en silence ce front ridé, ces joues qui tremblent d'indignation, ces lèvres minces et toujours un peu humides que sa tante essuie constamment avec un fin mouchoir qu'elle tire de son éternel petit sac brodé de perles.

Blanche n'a plus la force de lutter. Elle est dégoûtée des mensonges. Elle voudrait seulement que tout cela s'arrête. Peu importe de quelle manière.

La tête rentrée dans les épaules, elle attend que sa méchante parente lui ordonne, une fois de plus, d'ouvrir le coffre-fort. Il lui faudra avouer qu'elle a égaré la clé. La tante Ursula – et toute la famille Nouille avec elle – aura alors gagné la partie, tandis qu'elle aura perdu son manoir.

Mais les choses se passent tout à fait autrement.

— Làààààààà! hurle tout à coup la tante en pointant un endroit précis sur le sol.

Blanche se lève pour voir de quoi il s'agit.

— Qu'y a-t-il? demande-t-elle, n'ayant rien vu.

— Là! Près du buffet! répète la tante Ursula. Une lentille!

Blanche regarde à nouveau. Près d'une des pattes du grand buffet de chêne, elle aperçoit la coupable, à peine plus grosse qu'un grain d'orge.

C'est sûrement la seule lentille que Mathilde n'a pas vue lorsqu'elle a balayé le parquet après le dégât de la veille. Mais cela suffit à déclencher les foudres de l'irascible Ursula Nouille.

— Tes domestiques sont des bons à rien ! Trop paresseux pour tout ramasser. Tu manques lamentablement d'autorité, ma pauvre Blanche. Eh bien moi, je ne remettrai pas les pieds dans cette pièce tant que tout n'aura pas été soigneusement – et j'insiste sur le mot « soigneusement » – nettoyé. Je ne te ferai certainement pas le plaisir de me casser le cou en glissant sur une de ces fichues légumineuses ! Dis à ta bonne qu'elle me serve mon petit-déjeuner dans ma chambre.

Sur ce, elle tourne les talons et quitte la pièce, non sans ajouter en brandissant un doigt menaçant :

— Cette nouvelle faute sera dûment consignée dans mon rapport !

À travers la porte qui donne sur la cuisine, et qui a été fermée et verrouillée pour que les Onariens puissent déjeuner sans se faire repérer, les amis de Blanche Nouille ont parfaitement entendu les propos de la tante Ursula concernant les domestiques. Mathilde aussi, d'ailleurs. Elle hésite un instant, puis continue de préparer le repas sans sourciller. Il faut qu'elle aime vraiment beaucoup sa patronne pour se laisser insulter de la sorte sans réagir.

Mais Mélinda, qui a pris la cuisinière en affection, en est toute chavirée. Injurier quelqu'un d'aussi dévoué et qui travaille aussi fort, c'est monstrueux ! Elle décide donc de lui donner un coup de main pour le ménage.

Elle attend un peu, puis entrouvre la porte. Constatant que la tante n'est plus là, elle a le cran d'entrer dans la salle à manger, malgré les gestes de protestation de Mathilde, qui a peur qu'elle se fasse prendre.

Sans l'écouter, Mélinda traverse la pièce. Elle a de si longues jambes et de si grands pieds que trois pas lui suffisent pour se retrouver près du buffet. Elle se met à genoux et entreprend d'inspecter le parquet, à la recherche de la fameuse lentille. Sa posture – le nez par terre et le derrière en l'air – n'est sans doute pas très élégante, mais elle a le mérite d'être très efficace. En effet, il ne s'est pas écoulé deux secondes qu'elle trouve ce qui a mis la tante Ursula dans tous ses états. Elle recueille la lentille entre le pouce et l'index et la laisse tomber dans la poche de son tablier.

Elle incline un peu la tête et ramasse une deuxième lentille sèche, un peu plus loin sous le buffet, puis une troisième, glissant sa main toujours plus loin sous le meuble, grâce à ses longs bras. Comme il fait de plus en plus noir là-dessous, elle termine son inspection en balayant le sol de sa main, à l'aveuglette, pour vérifier qu'il ne reste plus rien. Tout à coup, ses doigts rencontrent un petit objet métallique dur, lisse d'un côté et dentelé de l'autre. Intriguée, elle le saisit et le ramène à elle pour l'examiner.

Blanche Nouille revient à ce moment-là dans la salle à manger, après s'être assurée que sa tante est bien remontée dans sa chambre. Elle ouvre de grands yeux ronds en apercevant le petit objet que la Malingre tourne entre ses doigts.

— La clé ! s'exclame-t-elle – pas trop fort ! – folle de joie. Tu as retrouvé la clé du coffre-fort !

Elle prend la clé, se jette sur Mélinda pour la serrer dans ses bras. Cette dernière reste les bras ballants, souriante mais un peu embarrassée. Timide et plutôt réservée, elle ne s'habituera jamais aux marques d'affection de cette humaine trop démonstrative.

Les autres, entassés à l'entrée de la cuisine, n'ont rien perdu de la scène. Clara demande à Blanche Nouille :

— Donc, vous pouvez faire les comptes, maintenant ?

— Oui, mais je ne sais pas si j'y arriverai pour ce midi.

— C'est mathématique, faire les comptes ?

— C'est même très mathématique ! dit Blanche Nouille. Malheureusement ! Je n'ai jamais été particulièrement douée pour les chiffres. Il faut prendre le grand livre comptable qui est dans le coffre-fort, inscrire dans une colonne tout l'argent gagné et dans une autre, tout l'argent dépensé. Il faut ensuite soustraire le total de cette deuxième colonne du total de la première, et espérer qu'il restera assez d'argent pour que ma tante estime que je gère bien la ferme.

— Rien de plus facile, alors ! s'exclame Clara.

— Tu crois ? fait Blanche Nouille qui semble en douter.

— Peut-être pas pour un humain, commente Esbrouffe. Mais pour Clara, oui. Clara est la championne des opérations mathématiques.

— C'est vrai, admet la Clairvoyante en rougissant tout de même un peu.

— Et tu veux bien m'aider ? se réjouit déjà Blanche Nouille.

— Bien sûr.

— Tu me sauves la vie, Clara. Tu nous sauves la vie à tous.

Blanche Nouille s'empresse aussitôt d'aller ouvrir le coffre-fort. Elle en tire le grand livre comptable, dans lequel s'entasse une pile haute comme ça de papiers divers et pas très en ordre.

Clara considère le tout gravement en se demandant si elle a bien fait d'affirmer avec autant de conviction que ce serait facile.

— C'est tout ? questionne-t-elle, comme si elle n'était pas impressionnée le moins du monde.

— Euh… Pas tout à fait, répond Blanche Nouille, en ouvrant le tiroir d'un pupitre.

Elle en sort une autre liasse de papiers pêle-mêle et à moitié chiffonnés, qu'elle ajoute au reste. Il y a là des factures d'électricité et de téléphone, des reçus pour du bois de chauffage et du grain à volailles, des comptes pour les légumes et les œufs que Gaspar est allé vendre au marché champêtre de Val-Mont-d'Or. Et bien plus encore.

Clara examine tout ce désordre et hoche la tête.

— Et… votre tante vous a donné jusqu'à quand, déjà, pour tout additionner et soustraire ?

— Jusqu'à midi !

— Il n'y a pas une minute à perdre, alors ! conclut Clara avec un sourire forcé.

16

Quand arrive l'heure du repas, Blanche Nouille est radieuse. Clara a fait des miracles. Elle a compris à la vitesse de l'éclair ce qu'était un produit acheté et ce qu'était un produit vendu, ce qui coûtait de l'argent et ce qui en rapportait. Avec une facilité ahurissante, elle a mis de l'ordre dans le fouillis de papiers, les triant par catégorie et par date. Ensuite, elle a tout consigné dans le livre et fait les calculs.

À sa grande surprise, Blanche Nouille a appris à la fin de cet exercice que le bilan se révélait plutôt bon.

C'est donc avec beaucoup de fierté et d'espoir qu'elle dépose sur la table, bien en vue, des comptes d'une clarté exemplaire avec, comme preuve, les factures et les reçus parfaitement classés.

Pour couronner le tout, Mathilde s'apprête à cuisiner une magnifique omelette, grâce à Mélinda.

D'avoir retrouvé la clé du coffre-fort a littéralement donné des ailes à la Malingre. Pendant une grosse demi-heure, elle a eu l'impression de flotter, d'être importante, utile. Pour tout dire, elle s'est sentie un peu comme une héroïne. Et cela a fait un bien fou à cette Onarienne d'un naturel plutôt craintif et effacé. Tellement qu'elle s'est mise en tête de réaliser un autre exploit: permettre à Mathilde de préparer l'omelette promise, la veille, à la tante Ursula.

Pour passer inaperçue, elle a enfilé un grand imperméable appartenant à Gaspar, et elle s'est rendue au poulailler. Là, elle s'est accroupie tranquillement dans un coin, sans parler ni bouger, jusqu'à ce qu'une poule, piquée par la curiosité, vienne vers elle. Pouliotte, toujours jalouse et se considérant comme la reine de la basse-cour, s'est aussitôt ruée au-devant de Mélinda pour chasser l'autre pondeuse à grands coups de bec. C'est exactement la réaction que la Malingre avait prévue. Elle a doucement attiré Pouliotte à elle et s'est mise à caresser ses plumes multicolores longuement, tendrement. Il a fallu à peine quelques minutes de ce traitement pour que la colère de l'agressive volaille fonde comme du beurre dans la grosse poêle de Mathilde. Pouliotte a fermé à demi les yeux et s'est mise à glousser de plaisir.

L'effet a été instantané. Toutes les autres poules se sont détendues comme par magie et se sont mises elles aussi à glousser. Bientôt, elles ont couru vers les couvoirs où chacune a pondu, coup sur coup, deux gros œufs. De quoi faire une gigantesque omelette !

Quand Mélinda est revenue à la cuisine en tenant avec précaution les coins de son tablier rempli d'œufs encore tièdes, Mathilde était ravie. Elle l'a été beaucoup moins à la vue des champignons bizarres que la Malingre a aussi rapportés pour compléter le repas. Pour tout dire, la cuisinière avait de sérieux doutes sur les connaissances mycologiques de sa nouvelle apprentie.

Mais Blanche Nouille, après avoir longuement serré son amie dans ses bras pour ce bon coup, a immédiatement rassuré Mathilde. Les Onariens ont tous un don exceptionnel : leur odorat est si développé qu'ils peuvent déterminer, rien qu'à l'odeur, si un végétal est comestible ou si de l'eau est potable. Leur nez fin ne les trompe jamais… Enfin, presque jamais. Il y a eu une seule exception à cette règle. Cela s'est passé quand le Grand Schrapzzz a mis dans le lait au miel de trèfle jaune des cinq amis une potion réductrice qui les a rendus minuscules. C'est ainsi qu'il avait pu les expédier dans le monde d'En Bas : il les a placés dans une enveloppe qu'il a glissée dans le guichet automatique d'une grande banque de Supercité. Mais cette erreur nasale s'explique : ils étaient trop préoccupés à trouver une manière d'ouvrir la porte du passage secret menant au monde des humains. Si bien qu'ils n'ont pas prêté attention à leur nez. Alors, forcément, ça ne compte pas.

— Je vous promets que je les ai bien sentis et que ces champignons ne sont pas vénéneux, a juré Mélinda, qui manifestait décidément de plus en plus de confiance en elle.

Mathilde a donc incorporé les champignons fraîchement cueillis à l'omelette de la tante Ursula.

Bref, au moment où cette dernière entre dans la salle à manger, elle trouve que Blanche Nouille a une mine étonnamment réjouie pour une personne qui, le matin même, s'était endormie sur la table tant elle était fatiguée.

—Venez vous asseoir, chère tante, fait sa nièce en tirant aimablement la chaise du bout de la table, sa place préférée.

Aussitôt, l'inspectrice aperçoit, posés devant elle, les fameux comptes. Elle y jette un coup d'œil dédaigneux.

— Je vois qu'ils sont écrits à la main. Ne devais-tu pas tout informatiser ?

Blanche Nouille a envie de rugir. Aucun détail n'échappe à cette visiteuse enquiquineuse et elle ne rate jamais une occasion d'être désagréable. C'est ahurissant. Mais en ce moment, elle a trop d'espoir pour se laisser abattre.

— Comme ils étaient déjà très avancés, j'ai cru qu'il valait mieux les terminer à la main pour que vous puissiez les avoir ce midi, comme promis.

— Mouais, fait la tante, plus ou moins convaincue.

Mais quand elle se met à tourner les pages du grand livre comptable, et quand elle examine les piles bien en ordre, elle n'en croit pas ses yeux. Jamais elle n'a vu des comptes d'une telle clarté. Elle en est renversée. Elle a beau scruter chaque ligne, vérifier chaque facture, elle ne trouve pas une seule erreur. C'est vraiment admirable… et cela lui déplaît souverainement !

— À mon grand étonnement, tout semble en ordre, finit-elle par reconnaître, une pointe de dépit dans la voix.

— Et le bilan ? demande fièrement Blanche Nouille qui vient d'apprendre de la bouche de Clara que sa ferme est en bonne santé financière.

— Pas mal, admet tante Ursula du bout des lèvres.

Comme si elle ne pouvait supporter l'idée d'être aimable un instant de plus, elle ajoute aussitôt :

— Cependant, je te signale que tu ne m'as toujours pas montré le contenu du coffre-fort.

— Ah! mais je peux le faire tout de suite, si vous voulez, lui offre aimablement Blanche Nouille. J'ai justement récupéré la clé…

Sa tante la suit donc dans la bibliothèque, où se trouve le coffre-fort. Blanche l'ouvre immédiatement, puis elle s'écarte pour laisser l'inspectrice en examiner le contenu.

La tante Ursula farfouille rapidement dans les papiers, titres de propriété et autres vieux documents, auxquels elle ne semble pas attacher beaucoup d'importance.

— Il manque quelque chose, s'écrie-t-elle tout à coup.

Blanche pâlit. *Quoi encore?* se dit-elle. *Ça ne finira donc jamais?*

— Quoi donc, ma tante? demande-t-elle en se forçant au calme.

— Un livre que mon père conservait avec un soin maniaque, comme s'il valait tout l'or du monde. *Onaria* quelque chose…

— *Onaria, le monde parallèle?* suggère Blanche, inquiète à l'idée que la vieille Ursula montre de l'intérêt pour son précieux livre.

— Exactement. Je ne l'ai jamais lu, bien entendu. Ma mère m'a toujours dit que ce n'étaient que des rêveries de vieux fou.

Le regard dans le vide comme si, en pensée, elle remontait très loin dans le temps, elle ajoute, se parlant à elle-même :

— C'est curieux, quand on y pense. J'ai toujours trouvé que ma mère, qui venait pourtant de la famille Radicelle, était devenue davantage Nouille en se mariant avec mon père que mon père ne l'était lui-même. En fait, tout au long de sa vie, elle s'est montrée plus digne que lui de porter ce nom.

Puis, revenant à la réalité, elle regarde sa nièce et reprend d'un ton aussi caressant que du papier abrasif :

— Mais ce livre est malgré tout un souvenir de famille. Et je voudrais bien savoir ce que tu en as fait.

— Oh, mais vous auriez dû m'en parler plus tôt. Il n'est plus dans le coffre-fort depuis des années. Je l'ai rangé dans la bibliothèque.

— Où ça ? insiste la tante, suspicieuse.

— Ici, répond Blanche Nouille.

Dans un geste plein de tendresse, elle tire d'un rayon chargé de livres le très ancien volume relié d'un cuir tout usé à force d'avoir été manipulé. Elle le dépose ensuite dans les mains de son aïeule.

— Ah ! Oui, c'est bien cela, laisse tomber la tante en le regardant brièvement, comme s'il n'avait aucun intérêt.

Du bout de son pouce, elle caresse furtivement la couverture de l'ouvrage avant de le remettre à Blanche Nouille, aussi rapidement que s'il lui brûlait les doigts.

Sa nièce lui jette un coup d'œil intrigué. *Elle se montre dédaigneuse*, pense-t-elle, *mais on dirait qu'au fond, elle est dévorée par la curiosité*. Blanche a la nette impression que sa tante Ursula meurt d'envie de lire ce livre. Depuis très longtemps, même. Comme c'est étrange !

— Vous pouvez le lire, bien sûr, lui offre-t-elle aimablement.

— Pffft. Pas question, répond vivement la vieille dame. Je n'ai plus l'âge de croire à ces balivernes. Ce livre a failli rendre mon père fou… Onaria par-ci, Onaria par-là… Une véritable obsession. Non, j'ai promis de ne jamais le lire.

— Vous avez promis ? À qui ? ne peut s'empêcher de demander Blanche Nouille.

— Ah ! peu importe, s'impatiente l'aïeule en balayant l'air du revers de la main, comme pour chasser un mauvais souvenir.

— À votre guise, répond sa nièce sans insister.

Elle remet le lourd volume à sa place.

Mathilde vient alors annoncer que le repas est servi.

Les deux femmes passent aussitôt à la salle à manger.

Blanche Nouille est toute ragaillardie à l'idée d'avoir réglé deux problèmes d'un coup : les comptes et l'ouverture du coffre-fort. Elle retrouve espoir en se disant que le rapport ne sera peut-être pas si dévastateur, finalement.

Par contre, elle jurerait que sa tante Ursula a jeté un bref regard derrière elle avant de quitter la bibliothèque, comme pour bien se rappeler l'endroit où le livre est rangé.

Et elle ne sait pas trop si elle doit s'en réjouir ou s'en inquiéter. Il lui faudra garder l'œil ouvert.

17

—◆—

C'était trop beau pour durer. Tout se gâte à la première bouchée d'omelette que prend la tante Ursula. Elle fait aussitôt une horrible grimace et recrache le tout dans son assiette, avant de jeter les hauts cris.

— Aaaaargh! Qu'est-ce que c'est que cette horreur? Je n'ai jamais rien mangé d'aussi mauvais.

Puis elle regarde sa nièce, qui a ouvert de grands yeux effarouchés.

— Ah! Mais je comprends tout. C'est très clair. Tu essaies de m'empoisonner avec des champignons vénéneux, à présent.

Blanche Nouille se sent à nouveau comme une petite fille prise en défaut et elle se met à trembler à l'idée que les champignons puissent effectivement être nocifs. Mais l'instant d'après, elle se gronde intérieurement d'avoir eu cette seconde de faiblesse, ce doute infime, tout à fait indigne de l'amitié qu'elle porte à ses chers Onariens.

N'écoutant que son courage et surtout sa foi dans le nez infaillible de Mélinda,

elle prend à son tour une bouchée d'omelette. Le goût en est si amer qu'elle doit
faire des efforts surhumains pour ne pas
grimacer.

Aussitôt, elle comprend tout. Comment n'y
a-t-elle pas pensé ? Comment a-t-elle pu être
aussi bête ? Comestible veut dire que ce n'est pas
poison, mais pas forcément que c'est agréable
pour le palais humain. Si ces champignons ne
sont pas vénéneux, ils sont en revanche très,
très mauvais.

Il faut qu'elle aime vraiment beaucoup ses
amis pour prendre une deuxième bouchée et la
mastiquer en feignant l'enthousiasme :

— Moi, pourtant, je trouve que c'est très
bon et sûrement pas empoisonné. Vous savez
bien que jamais je ne ferais une chose aussi
épouvantable.

— Toi, peut-être pas. Mais il est très facile
de préparer deux omelettes différentes : une
qui est empoisonnée et l'autre qui ne l'est pas.
Comment s'appelle ta bonne, déjà ?

— Oh ! Ma tante ! D'abord, ce n'est pas une
bonne, c'est une cuisinière et puis...

— Cuisinière, bonne, domestique, on s'en
fiche. C'est du pareil au même. Je t'ai demandé
son nom.

— Elle s'appelle Mathilde et je vous assure
qu'elle est...

— Mathiiiiiilde ! hurle de sa voix de stentor la tante Ursula, sans même quitter sa place.

On sent aussitôt un mouvement de panique dans la cuisine, des bruits de chaises déplacées à la hâte. Puis il y a des pas furtifs. Quelques instants plus tard, Mathilde passe la tête par la porte à peine entrebâillée.

— Oui, madame ?

— Qu'est-ce que c'est que cette omelette ?

— Elle ne vous plaît pas, madame ?

— Non seulement elle ne me plaît pas, tonne la vieille dame, mais je suis sûre que tu y as mis des champignons vénéneux.

— Oh ! Non, madame...

La tante se fige net, puis se met à tâter nerveusement la peau de son visage.

— Ça y est ! C'est la crise d'urticaire ! Je sens déjà mes yeux et mon nez qui se gonflent.

De toute évidence, elle ne connaît strictement rien aux symptômes d'une intoxication aux champignons, qui ne se manifestent jamais aussi vite.

— Mais non, ma tante. Je vous assure que vos yeux sont tout à fait normaux. Et votre nez aussi.

— Je sais ce que je dis !

Pour prouver ses dires, la tante Ursula saisit fébrilement le petit sac brodé de perles dont elle ne se sépare jamais. Elle en tire un poudrier qu'elle s'empresse d'ouvrir pour se regarder dans le miroir rond.

C'est alors que se produit la catastrophe.

Quand les Onariens ont entendu la tante Ursula hurler le nom de Mathilde, ils ont eu très peur que l'inspectrice fasse une entrée fracassante dans la cuisine, même si elle n'y met habituellement jamais les pieds parce que ce n'est pas de son rang. Ils ont donc profité du moment où Mathilde s'est montrée à une porte pour s'éclipser par une autre, avec l'intention de traverser le salon pendant que la tante leur tournerait le dos en parlant à la cuisinière. Ils fileraient ensuite par la bibliothèque et le grand escalier pour rejoindre leur cachette au grenier.

Mais quand la tante Ursula lève son poudrier à la hauteur de ses yeux pour vérifier s'ils sont enflés, elle peut voir dans son miroir ce qui se trouve derrière elle, c'est-à-dire l'entrée de la salle à manger et, de l'autre côté du couloir, celle du salon. C'est au moment précis où elle examine attentivement ses paupières que, dans la glace, elle capte du coin de l'œil un mouvement, un vêtement, enfin quelque chose ou quelqu'un qui se déplace.

— Qu'est-ce que c'est que ça ? murmure-t-elle en fronçant les sourcils.

Elle se retourne sur sa chaise, juste au moment où ce qui ressemble étrangement à un éclair traverse le salon à toute vitesse. On aurait dit une frêle silhouette surmontée d'une extravagante chevelure couleur de châtaignes blondes.

Sans que Blanche puisse la retenir, Ursula se lève et s'élance, aussi vite qu'elle le peut, à la poursuite de l'étrange et furtive apparition.

— Eh ! Vous ! Arrêtez-vous tout de suite ! rugit-elle.

Loin d'obéir à cet ordre, les Onariens accélèrent leur course. Ils comprennent qu'ils ne pourront pas monter l'escalier sans être vus par la tante, qui les a pris en chasse. Ils continuent donc tout droit et entrent dans le boudoir, avant de poursuivre leur fuite, d'une pièce à l'autre, pour tenter d'échapper à la vieille dame à qui l'entêtement donne décidément du souffle.

Blanche Nouille essaie de l'intercepter en poussant de petits cris affolés.

— Ma tante. Calmez-vous ! Pensez à votre cœur ! Ma tante ! Mais où courez-vous de la sorte ?

— Ôte-toi de mon chemin ! siffle entre ses dents Ursula Nouille, qui la repousse.

Après être passée du salon à la bibliothèque, de la bibliothèque au boudoir, du boudoir à la salle à manger et à nouveau au salon, l'octogénaire, qui a la tête dure et plus d'un tour dans son sac, comprend vite que le mouvement va toujours dans le même sens autour du grand escalier central. Avant que le ou les fuyards ne lui échappent – parce qu'ils la devancent de plus en plus –, elle fait brusquement volte-face et repart dans l'autre sens en espérant tomber nez à nez avec eux. Pris de court, les pauvres Onariens battent en retraite vers le boudoir, avant que la tante ait pu clairement les voir.

Mélinda, plus rapide, arrive la première au fond de la pièce où elle se retrouve prise en souricière. Gagnée par la panique, elle se rue vers la seule issue possible. Elle ouvre toute grande la fenêtre et se jette à l'extérieur. Esbrouffe la suit bientôt, puis Frizouille, Clara et enfin Delphinia, qui ferme la marche en boitillant, n'étant plus chaussée que d'un de ses souliers à talons hauts.

Lorsque la tante parvient dans la pièce, hors d'haleine, elle remarque tout de suite le rideau qui flotte au vent. Mais Blanche accourt à toute vitesse, la devance et se rue vers la fenêtre qu'elle referme précipitamment avant d'en tourner le loquet avec autorité.

— Quelle idée d'ouvrir si grand en plein mois d'octobre, s'écrie-t-elle d'une voix nerveuse. Vous allez prendre froid.

Ursula bouscule sa nièce, déverrouille la fenêtre, l'ouvre et se penche à l'extérieur. Bien sûr, il n'y a plus rien à voir.

Les Onariens ne sont pas restés plantés là, vous pensez bien. Ils ont filé à vive allure et tourné au pas de course le coin de la maison.

Ils reviennent maintenant par l'arrière, où Mathilde s'empresse de les faire entrer et descendre sans bruit au cellier, dont elle ferme la porte à double tour.

Pendant ce temps, dans le boudoir, l'inspectrice se retourne vers sa nièce, qui s'attend à un terrible déferlement de colère.

Mais la vieille dame reste là, chancelante, l'air éberlué, les deux mains sur la poitrine, ouvrant et fermant la bouche comme si elle cherchait de l'air. Son visage ridé est d'une pâleur effrayante et elle grelotte. Bref, elle a une mine à faire peur.

Blanche Nouille ne sait pas trop si c'est à cause du courant d'air, de la course, de la colère ou des trois à la fois, mais une chose est sûre : la tante Ursula ne va pas bien. Pas bien du tout. Et l'humaine au grand cœur ne peut que porter secours à un être en détresse, aussi détestable soit-il.

Elle s'approche, entoure de son bras les épaules voûtées de sa vieille parente et l'entraîne avec douceur vers la bibliothèque, où un bon feu de bois crépite dans l'âtre.

— Venez, ma tante, venez vous reposer. Vous vous surmenez.

Elle l'aide à s'installer dans une bergère confortable, cale un coussin dans son dos et déplie une couverture de laine sur ses jambes.

— Que diriez-vous d'une tasse de tisane ultra-relaxante ?

Le souffle court, la tante se contente de faire oui de la tête. Blanche Nouille sourit et disparaît aussitôt.

Tandis qu'elle se précipite vers la cuisine, elle ne cesse de se répéter tout bas :

— Tout ira bien. Tout ira bien. Elle n'a probablement rien vu. Elle va se remettre. Et puis bientôt, elle retournera chez elle. Tout ira bien. Oui, oui… Il faut que tout aille bien.

Mais au fond, elle n'y croit pas beaucoup.

Et elle y croirait encore moins si elle savait ce qui se trame, en ce moment même, chez sa rancunière troisième voisine. Depuis un mois, madame La Tronche passe chaque jour de longues heures, installée à la fenêtre du deuxième étage de sa demeure, à surveiller à l'aide de puissantes jumelles les allées et venues au manoir victorien. Beaucoup de rumeurs circulent au sujet de cette écervelée de Blanche Nouille, depuis l'arrestation d'un malfaiteur dans la maison de son voisin immédiat, qui a lui-même disparu depuis ce jour. Certains la considèrent comme une héroïne. Mais d'autres – et madame La Tronche fait évidemment partie de ceux-là – la perçoivent plutôt comme une intrigante qui n'a pas tout dit à la police, sans qu'on sache trop pourquoi.

La femme aux jumelles n'a pas du tout l'impression d'espionner qui que ce soit. Elle croit plutôt faire son devoir de citoyenne en tentant de recueillir des indices pour élucider une affaire qui a fait beaucoup de bruit depuis le début de l'été et qui reste encore bien obscure. En cela, elle ne veut qu'apporter sa modeste contribution à la vie de sa communauté, une modeste contribution qui, on ne sait jamais, pourrait du même coup lui valoir sa photo en première page du plus important journal de la région. D'autant plus qu'elle a maintenant un contact au *Clair Matin* de Val-Mont-d'Or.

Alors, quand elle a aperçu il y a quelques instants, chez son illustre et détestée voisine, une petite bande de très énigmatiques personnages qui s'enfuyaient en courant après s'être jetés par une fenêtre, elle a tout de suite su ce qu'elle devait faire.

Elle s'est précipitée sur son carnet d'adresses pour y trouver une carte de visite qu'elle tient maintenant à la main en composant fébrilement le numéro de téléphone.

— Oui ? *Le Clair Matin* ?

— …

— Parfait. Je voudrais parler à Constance Potvin, je vous prie. C'est urgent.

18

·—◆—·

La vieille Ursula reprend peu à peu son souffle en se disant qu'elle a été bien imprudente, à son âge, de se mettre en chasse comme elle vient de le faire. Son cœur le lui a clairement rappelé en cognant à grands coups douloureux dans sa poitrine.

Tandis que son rythme cardiaque revient peu à peu à la normale, elle réfléchit à ce qu'elle a vu, c'est-à-dire pas grand-chose, en fait. Elle a tout à coup un terrible doute.

Ou bien il se passe réellement des événements hors du commun dans cette maison, se dit-elle avec angoisse, *ou alors...*

Elle ferme les yeux, prise d'un vertige.

... ou alors, je suis en train de devenir complètement maboule. Je ne serais pas le premier vieillard de la famille à qui ça arriverait. Il y a eu l'oncle Auguste qui s'est mis à collectionner les poussières de tapis à l'âge de quatre-vingt-quinze ans. Et aussi tante Juliette qui, chaque fois qu'elle était invitée à manger, bourrait ses poches de morceaux de gâteau pour les donner à ses alligators. Sauf qu'elle n'a jamais eu

d'alligators ! Mais il me semble que je suis encore trop
jeune pour me livrer à de telles extravagances.

Elle ouvre à nouveau les yeux et fait, du regard,
le tour de la pièce comme si elle cherchait quelque chose de rassurant, un objet familier, une
certitude à laquelle se raccrocher.

Durant ce bref tour d'horizon, elle aperçoit
par terre un objet d'un beau rouge vif, appuyé
contre le mur, tout près de la porte qui donne
sur le salon.

Intriguée, elle rejette la couverture que
Blanche a étendue sur ses jambes et se lève
pour découvrir qu'il s'agit d'un soulier à talon
haut. Elle le prend, l'examine et ouvre de grands
yeux effarés. Ce soulier d'une autre époque,
elle le reconnaît parfaitement. Il a appartenu
à la tante Artémise. Elle se met à le pétrir avec
énergie entre ses doigts tremblants. Cette fois,
pas de doute, le soulier est bien réel.

Il y a eu le manteau de son défunt Adalbert,
le bâton de marche de son père et maintenant
ceci. Non, elle n'est pas folle et ça ne peut pas
être l'effet du hasard. Blanche aura beau tenter
de la convaincre qu'elle imagine tout cela, cette
fois, elle détient une preuve tangible !

Elle retourne vivement s'asseoir et s'empresse
de cacher le soulier de la tante Artémise contre
sa cuisse, sous la couverture qu'elle replace à
la hâte.

Quand Blanche Nouille revient avec une tasse de tisane et des biscuits, elle constate que sa tante Ursula a retrouvé ses couleurs et toute son énergie.

— Assieds-toi, dit cette dernière fermement en désignant un fauteuil tout proche.

Blanche s'exécute après avoir déposé son plateau sur une petite table basse.

— Regarde-moi dans les yeux !

— D'accord, acquiesce Blanche Nouille, intimidée, en battant des paupières et en faisant des efforts inouïs pour ne pas se détourner du regard perçant de sa tante Ursula.

— À présent, tu vas me dire la vérité. Toute la vérité. Cela vaudrait mieux pour toi d'ailleurs, car j'ai parfaitement compris ce qui se passe ici !

Après un moment de silence, elle passe à l'attaque :

— Alors, depuis quand sont-ils là ?

Blanche Nouille devine que sa tante Ursula en a vu beaucoup plus que ce qu'elle avait espéré. Elle sait aussi qu'il ne sert plus à rien de mentir.

— Depuis un mois, répond-elle, à la fois inquiète de ce que ses aveux vont provoquer et soulagée de pouvoir enfin parler franchement.

— Ils doivent être surpris de voir le monde dans lequel nous vivons.

— Sans doute. C'est évidemment très différent de ce qu'ils ont connu. Mais dites-moi, ma tante, comment avez-vous deviné de qui il s'agissait ?

— Rien de plus simple. D'abord, ils ont laissé des indices et puis tout à l'heure, j'ai très bien vu l'une d'entre eux : la petite taille, la fine ossature, la chevelure châtain clair. Ça ne trompe pas !

Blanche est éberluée. Comment sa tante a-t-elle pu reconnaître une Elfe ?

— Mais vous m'avez pourtant dit n'avoir jamais lu le livre.

— Quel livre ? fait la tante Ursula en haussant les sourcils.

— Eh bien, *Onaria, le monde parallèle*, répond Blanche Nouille, convaincue que la tante parle forcément des Onariens et que si elle parle des Onariens, c'est qu'elle connaît leur existence et que pour connaître leur existence, il faut bien qu'elle ait lu le livre !

— Mais il n'est pas question de livre, voyons ! s'impatiente la tante, un peu agacée par la lenteur d'esprit de sa nièce. Je te parle de tante Artémise ! Je l'ai reconnue à sa petite taille et son épaisse chevelure. Cette fois, tu ne pourras pas me contredire puisque j'ai la preuve de ce que j'avance. Regarde.

Elle tire le soulier rouge de sa cachette et le brandit devant elle.

— Je l'ai trouvé là, sur le tapis. Elle l'a perdu dans sa course.

La tante fronce les sourcils et prend tout à coup un air songeur. Puis, elle hoche la tête :

— Ce que je n'arrive pas à m'expliquer, c'est ce qui a pu perturber leur dernier repos au point où ils se sont mis à hanter la maison depuis un mois.

Blanche Nouille est abasourdie de constater que sa tante croit aux fantômes. Mais peut-être que cette confusion entre des revenants de la famille Nouille et les Onariens n'est pas une si mauvaise chose, après tout.

À cet instant, elle voit un éclair passer dans les yeux de sa tante. De toute évidence, elle vient d'avoir une idée qu'elle trouve géniale.

— Mais oui ! Comment n'y ai-je pas pensé plus tôt ? C'est l'évidence même. Qu'y avait-il, il y a un mois ?

— Euh… L'automne ? hasarde Blanche Nouille qui n'a aucune idée de ce qui se passe tout à coup dans la tête de sa visiteuse.

— On s'en fiche de l'automne ! Non, ce qu'il y avait ou plutôt ce qu'il *devait* y avoir il y a un mois, c'est la grande réunion des Nouille qui se tient ici tous les dix ans. Mais elle n'a pas eu lieu cette année. Pourquoi ? Parce que tu n'y as pas pensé. Eh bien, voilà ce qui les a troublés. La famille Nouille a été oubliée ! S'il y a des revenants dans cette maison, ma nièce, c'est entièrement ta faute !

Blanche demeure immobile, découragée.

— Ne reste pas plantée là à me regarder avec cet air de carpe pâmée. Je dois réfléchir à la manière de calmer les esprits de nos ancêtres. En attendant, sors de ma vue !

Blanche Nouille s'éclipse aussitôt, bouleversée. Non seulement sa tante croit voir des fantômes, mais en plus elle est persuadée que si la maison hantée, c'est par sa faute. C'est désespérant.

Pour le moment, elle a plus urgent à faire. Elle vient de penser à une nouvelle cachette pour les Onariens.

Quelques instants plus tard, elle entreprend de déménager ses pensionnaires dans la vieille écurie, située tout en bas, près de l'étang. La tante Ursula risque encore moins d'y mettre les pieds qu'à la cuisine – c'est beaucoup trop puant pour ses narines délicates. Et puis, ils seront trop loin pour qu'elle puisse les entendre comme la nuit dernière.

Pour ne pas éveiller les soupçons de sa tante, Blanche monte à l'étage, ouvre une fenêtre donnant sur l'arrière et se met à jeter à Gaspar, qui les reçoit en bas, tous les édredons qu'elle peut trouver dans les armoires des chambres. Les nuits ne seront pas chaudes dans l'écurie où il ne reste plus qu'une vieille jument percluse de rhumatismes.

La tante Ursula, toujours assise à l'avant de la maison, ne se rend effectivement compte de rien. C'est que, tout en sirotant sa tisane, elle est en train de réfléchir à la manière d'apaiser ses ancêtres. Et tandis qu'elle réfléchit, ses yeux tombent par hasard sur le livre *Onaria, le monde parallèle*, qu'elle avait complètement oublié et qui trône toujours au beau milieu de la bibliothèque.

Elle sursaute en l'apercevant. Pourquoi diable sa nièce lui a-t-elle parlé de ce livre, tout à l'heure ? Elle observe attentivement le volume imposant, immobile, très ancien, et elle a l'impression, tout à coup, que ce n'est vraiment pas un livre comme les autres. On dirait qu'il émane de cet ouvrage une force tranquille, une sagesse même, comme s'il contenait tous les secrets du monde.

Ce livre, que son père aimait tant et dont il parlait sans cesse, pourrait-il fournir des réponses à ses questions ?

Comme si une force irrésistible l'attirait vers cet antique objet, elle se lève, s'en approche et le prend. Aussitôt, un grand frisson lui parcourt l'échine, de bas en haut. Elle déplace vivement les autres livres pour combler l'espace occupé par l'ouvrage, afin que Blanche ne remarque pas son absence. Il n'est pas question pour elle d'admettre qu'elle puisse s'y intéresser !

Elle pose le volume sur ses genoux, l'ouvre avec une certaine émotion et commence à le lire.

Onaria, le monde parallèle
d'Orson Wellsington

Elle tourne la page et poursuit.

Au cours de mes innombrables aventures, j'ai vu bien des merveilles, visité les contrées les plus étranges, découvert les plus fabuleux trésors. Mais si un jour quelqu'un m'avait dit qu'il existait, en un lieu secret et retiré, un endroit comme Onaria, très certainement je ne l'aurais point cru. Et pourtant...

La tante Ursula sent que son pouls s'accélère. Elle veut savoir la suite ! Ce livre exerce véritablement un charme inexplicable, envoûtant, et elle sait déjà qu'elle ne pourra plus s'empêcher de le lire. Elle reprend sa lecture.

L'événement qui devait à tout jamais bouleverser ma vie se produisit par un bel après-midi d'automne, alors qu'en compagnie d'une bande d'Indiens de la nation abénaquise, j'étais parti en expédition vers les terres intérieures...

À cet instant, Blanche Nouille descend doucement le grand escalier, transportant sous son bras le portable de Xavier, sans lequel Delphinia refuse obstinément de s'installer à l'écurie.

En jetant un coup d'œil à sa droite, elle aperçoit Ursula, penchée sur un livre qu'elle reconnaîtrait entre mille. Sa vieille tante est si absorbée par la lecture d'*Onaria, le monde parallèle* qu'elle ne se rend même pas compte de sa présence.

Blanche Nouille sourit. Elle est remplie d'espoir tout à coup car, jusqu'à ce jour, elle n'a jamais rencontré une seule personne que la lecture de ce livre n'ait pas rendue meilleure.

19

⸱—◆—⸱

Voilà un bon moment que la tante Ursula est assise dans la bibliothèque, fascinée par le monde onarien.

Elle ne remarque même pas que la maison est devenue étrangement silencieuse. En effet, Blanche Nouille est à l'écurie, en train d'installer ses amis le plus confortablement possible, tandis que Mathilde est allée leur porter de l'eau et des vivres.

Ursula a l'impression d'avoir à nouveau huit ans. Elle est loin, très loin du chemin des Pâquerettes, et elle vit la plus fabuleuse aventure de sa vie. Captivée, elle dévore avec une grande avidité les phrases, les paragraphes et les chapitres.

Soudain, une sonnerie résonne comme un coup de tonnerre dans l'épais silence. La lectrice fronce les sourcils pour ne pas se laisser déconcentrer. Elle doit relire sa dernière phrase, dont le sens lui a échappé. Un deuxième coup de sonnette retentit, puis un troisième. Agacée d'être ainsi ramenée brutalement à la réalité, elle hurle :

— Mathiiiiiilde ! La porte !

Aucun son ne lui répond, à part une quatrième sonnerie bien sentie.

Exaspérée, la tante Ursula décide d'aller elle-même ouvrir, ce qu'elle ne s'abaisserait jamais à faire en temps normal. Mais si elle veut poursuivre sa lecture en paix, il faut que ce fichu carillon se taise, et elle a l'impression qu'un visiteur qui se manifeste avec autant d'insistance n'est pas près de se décourager. Ce que confirme aussitôt un cinquième coup de sonnette.

Elle marque sa page à l'aide du long ruban de soie vieillie qui sert de signet et referme le livre. Puis elle le cache sous la couverture que Blanche lui avait étendue sur les genoux.

Elle se lève péniblement, un peu engourdie après être restée assise aussi longtemps sans bouger.

Lorsqu'elle ouvre la porte, elle découvre sur le perron une toute jeune femme, presque une enfant, avec des taches de son sur les joues et une tignasse ébouriffée où s'entremêlent les mèches rousses et vertes.

— L'Halloween, ce n'est pas aujourd'hui ! s'exclame-t-elle avec impatience.

— Oh ? fait Constance Potvin en apercevant cette dame d'un âge vénérable qu'elle n'a jamais vue auparavant. Euh… À qui ai-je l'honneur ?

— Est-ce que ce ne serait pas plutôt à moi de vous poser cette question ? s'étonne franchement la tante Ursula qui, faut-il le rappeler, est tout de même chez elle.

— Oui, bien sûr, répond la journaliste en lui tendant la main. Constance Potvin, reporter au journal *Le Clair Matin* de Val-Mont-d'Or.

— Ursula Nouille, laisse tomber la tante.

Elle presse à peine le bout des doigts de la journaliste, ce qui est la manière élégante de serrer la main dans sa noble famille.

— Ursule Anouilh ? Enchantée.

— Non ! Pas Ursule Anouilh. UrsuLA Nouille, précise la dame avec agacement, en appuyant sur le LA d'Ursula.

— Ah ! Mais bien sûr. Nouille. Où avais-je la tête ? Vous devez être la maman de madame Blanche Nouille, alors ?

— Je n'ai pas cet honneur, répond Ursula, les lèvres pincées. Je suis sa tante. Que puis-je pour vous ?

C'est le moment que Constance Potvin espérait pour s'incruster. Elle contourne la vieille dame et pénètre dans la maison d'un pas assuré.

— J'espère que je ne vous dérange pas...

— Puisque vous êtes déjà à l'intérieur, faites comme chez vous ! siffle la tante, pour bien lui faire sentir combien elle trouve impoli de ne pas avoir attendu qu'elle l'invite à entrer.

— Merci, daigne répondre l'insolente journaliste, comme si de rien n'était.

La jeune femme jette un coup d'œil sur le sol autour d'elle.

— Vous cherchez quelque chose ? lui demande la tante Ursula, que la reporter commence décidément à indisposer, d'autant plus qu'elle l'a interrompue dans sa passionnante lecture.

— La poule est là ? s'informe la jeune femme.

— Quelle poule ? fait Ursula, estomaquée.

— La dernière fois que je suis venue interviewer votre nièce, il y avait une poule ici, et elle a, comment dirais-je, provoqué une sorte de catastrophe.

— Je vous assure qu'il n'y a pas de poule dans cette maison, s'insurge Ursula, abasourdie et même un peu insultée. Nous ne sommes pas dans une basse-cour !

— Ah, tant mieux, alors, soupire Constance Potvin, visiblement soulagée.

La vieille dame, qui a fort bien appris les règles de la politesse et de l'hospitalité, finit par l'inviter à passer dans le grand salon.

— Je vous offrirais bien quelque chose à boire, annonce-t-elle, mais la bonne s'est momentanément absentée.

Constance Potvin, dont les cuisses ébouillantées ont pelé pendant deux jours après sa dernière visite chez Blanche Nouille, lève une main en guise de protestation, tout en roulant des yeux effrayés.

— Non, rien à boire, merci. Surtout pas de boisson chaude.

— Bon. Et je peux savoir ce que nous vaut votre visite, mademoiselle Potvin ?

C'est alors que Constance Potvin apprend à la tante Ursula des choses bien étonnantes au sujet de Blanche. D'abord, qu'elle a la réputation d'être un peu extravagante. Ensuite, qu'elle a offert à une voisine un aspirateur qui a avalé son chat. Mais surtout, qu'elle est depuis peu devenue une véritable héroïne après avoir permis l'arrestation d'un malfaiteur, dans une sombre affaire qui a fait les manchettes dans la région pendant tout l'été.

La tante Ursula ne sait trop si elle doit être très mécontente de sa nièce ou plutôt fière d'elle. Pendant qu'elle réfléchit en silence à la question, Constance Potvin plonge dans le vif du sujet.

— Je suis ici pour vérifier certains faits. Je viens de recevoir un étrange coup de fil…

— Ah ?

— Oui. Un coup de fil qui laisserait croire que votre nièce cache peut-être ici des fugitifs ou en tout cas des personnes aux allures louches. Ces personnes ont été aperçues par un témoin alors qu'elles s'enfuyaient par une fenêtre.

Ces mots ont un effet immédiat sur la tante Ursula. Elle plisse les yeux en jetant vers son interlocutrice un regard de côté. La journaliste, qui l'agaçait déjà un peu, vient de passer carrément dans le clan ennemi. La digne représentante de la famille Nouille est venue voir sa nièce avec la ferme intention de la prendre en défaut et, si possible, de la faire chasser de la demeure ancestrale, c'est vrai. N'empêche, l'honneur de sa famille passera toujours avant toute autre considération. Et pour la matriarche, il est hors de question que le public sache que le manoir de la famille Nouille est hanté. C'est une histoire privée qui se réglera en privé.

— Si ma nièce cachait des gens, pourquoi donc s'enfuiraient-ils ? demande-t-elle sèchement. Et puis, qui sont ces témoins qui affirment avoir vu une telle chose ?

— Je n'ai pas l'habitude de dévoiler mes sources…

— Vous venez ici porter des accusations graves, mais sans me dire de qui elles émanent ?

— En fait, c'est une voisine.

— Ah ! Ce ne sont donc pas *des* personnes, mais bien une seule personne. Et cette dame, qu'a-t-elle vu, au juste ?

— Elle m'a raconté avoir aperçu des êtres étranges, pas tout à fait humains, sortir par une fenêtre de la maison avant de prendre la fuite.

— Montrez-moi où habite cette voisine, ordonne la tante en se levant.

Les deux femmes se rendent à une fenêtre qui donne sur le chemin des Pâquerettes. La journaliste pointe une maison, de l'autre côté de la route, un peu sur la droite.

— Là.

— Laquelle?

— La troisième.

— N'est-ce pas cette dame dont vous m'avez parlé qui habite là? Celle au chat aspiré? Madame La Trogne ou quelque chose du genre?

— Euh… La Tronche, oui, admet Constance Potvin qui se rend compte, mais un peu tard, que la vieille dame lui a soutiré le nom de son témoin.

— Il me semble qu'elle habite bien loin, poursuit Ursula Nouille, pour avoir pu distinguer quoi que ce soit.

— Elle utilise des jumelles très performantes, laisse spontanément échapper Constance Potvin, qui déteste qu'on mette ses informations en doute.

La tante se retourne vivement vers la reporter et la regarde droit dans les yeux.

— Elle utilise des jumelles pour observer notre maison? C'est une violation de la vie privée, ça, non?

Constance Potvin comprend qu'elle en a encore trop dit. Elle vient, elle ne sait trop comment, de laisser échapper coup sur coup au moins trois informations qu'une journaliste digne de ce nom doit toujours tenir secrètes.

— C'est p... p... p... peut-être un hasard... bégaie-t-elle, un peu affolée. Peut-être qu'elle faisait de l'observation d'oiseaux et que...

— Eh bien, ses jumelles doivent être de bien mauvaise qualité. Moi, je n'ai pas bougé d'ici de toute la journée, et pourtant je n'ai vu aucune personne, étrange ou pas, sortir par la fenêtre... Vous pensez bien que si cela avait été le cas, j'aurais tout de suite appelé la police. Non ?

— Sans doute...

— Vous croyez toujours ce que vous racontent les gens ?

— J'ai... j'ai seulement pris l'information. Je suis venue vérifier, justement pour m'assurer que...

— Eh bien, voilà qui est fait. Ce n'était qu'une fausse alerte, des commérages d'une femme mesquine et rancunière qui veut noircir la réputation de ma nièce. Vous ne pensez pas ?

— Peut-être, oui, marmonne une Constance Potvin toute penaude.

— Parfait, conclut la tante Ursula, triomphante. L'affaire est donc réglée. Alors maintenant, si vous voulez bien me laisser, j'étais en train de faire des choses très importantes lorsque vous êtes arrivée à l'improviste, et j'aimerais pouvoir les terminer.

Constance Potvin se rend compte qu'elle a complètement perdu la maîtrise de l'entrevue. L'orgueilleuse journaliste n'aime pas cela, mais pas du tout. C'est pourquoi elle décide de passer à la contre-attaque et de déstabiliser son interlocutrice en utilisant sa tactique habituelle.

— Il n'y a pas que madame La Tronche. Vous l'ignorez peut-être, mais votre nièce a été interrogée par les enquêteurs chargés de cette affaire de méchanceté juvénile. La rumeur court qu'elle n'aurait pas tout dit à la police.

Croire qu'on peut aussi facilement désarçonner la tante Ursula est une grave erreur.

— Vous êtes journaliste depuis longtemps? demande-t-elle tout à coup.

— Je suis au *Clair Matin* depuis dix mois, répond Constance Potvin, avec tout l'aplomb possible.

— Dix mois. Voyez-vous cela! Même pas une année. C'est bien peu… Et toujours à titre de reporter?

Cette fois, la jeune femme est complètement prise au dépourvu.

— Euh… pas exactement… Je… j'ai travaillé un peu aux… aux faits divers…

— Eh bien, jeune fille, si vous ne voulez pas retourner à la rubrique des chiens écrasés jusqu'à la fin de votre carrière, je vous conseille fortement de quitter immédiatement la maison d'une famille très honorable qui n'a absolument rien à se reprocher.

— Bon, lâche sèchement Constance Potvin, piquée au vif.

Elle remballe à la hâte son équipement tout neuf. Le précédent était devenu inutilisable après avoir été inondé de thé tchaï lors de sa dernière visite dans cette même maison.

Puis, comme la fois précédente, elle ajoute avant de sortir :

— Mais la vérité triomphera. Elle triomphe toujours.

— Oh ! Mais j'y compte bien, mademoiselle, répond la tante Ursula d'une voix douce, mais avec un sourire plutôt inquiétant aux lèvres.

Un sourire qui disparaît aussitôt la porte refermée. Elle reste là un moment, quand même un peu abasourdie par tout ce qu'elle vient d'apprendre. Dès le retour de Blanche, elle devra la soumettre à un interrogatoire en règle.

En attendant...

Elle se souvient tout à coup de ce qu'elle faisait avant d'être brutalement interrompue.

Comme si elle était attirée par un aimant, elle se précipite à la bibliothèque, se réinstalle dans la bergère et replonge sans plus tarder dans les extraordinaires aventures d'Orson Wellsington.

20

———◆———

Au même moment, les choses se corsent dangereusement pour Xavier. Il a su très rapidement
qu'il avait des ennuis, parce qu'avant même
qu'il introduise sa clé dans la serrure, la porte
de sa maison s'est ouverte toute grande. De
l'autre côté, il y avait sa mère, avec son air des
mauvais jours. Sur son visage, il voyait à la fois
de la déception, de l'inquiétude, de la douleur
et de la colère. Un air pareil chez une mère,
ce n'est jamais bon signe pour un garçon de
douze ans.

— J'ai parlé à Jolina, a-t-elle dit en allant droit
au but comme toujours.

— Tu l'as appelée ? a fait Xavier, estomaqué.

— Bien sûr que non. C'est elle qui a téléphoné
pour te parler. Il paraît que tu la boudes depuis
des semaines.

— Je ne la boude pas, a-t-il répondu en
contournant sa mère pour aller porter son sac
dans sa chambre.

— En tout cas, c'est ce qu'elle croit, a insisté
cette dernière en le suivant. Tu nous reproches

de trop nous inquiéter pour toi, ton père et moi. Mais n'est-ce pas curieux qu'elle aussi s'inquiète, et exactement pour les mêmes raisons ? Elle trouve que tu n'es plus aussi rieur, que tu ne parles plus. Elle m'a même appris que tu ne joues plus au foot avec elle depuis quelque temps.

— Mais je ne suis pas obligé de jouer toujours au foot avec elle, a poursuivi le jeune garçon en allant se servir un verre de jus.

Ils se sont assis face à face, à la table de la cuisine.

— Peu importe, a repris sa mère. Le plus grave, c'est qu'en la questionnant, j'ai appris que ce n'est pas du tout à elle que tu as prêté ton ordinateur, contrairement à ce que tu nous as dit.

— Pardon, mais je n'ai jamais dit que j'avais prêté mon ordinateur à Jolina. J'ai dit que je l'avais prêté à une amie. Je n'ai pas que Jolina comme amie.

— Comment s'appelle cette autre amie ?

— Ah ! Maman ! S'il te plaît, lui a répondu Xavier sur un ton de reproche.

— Bon. Comme tu voudras. Je ne veux pas « faire d'enquête », comme tu dis toujours. Mais tu comprendras que ton père et moi, nous avons un peu plus de mal qu'avant à te croire sur parole. Il y a trop de choses… trop de choses étranges. Je ne pose plus de questions, mais je voudrais que tu ailles chercher ton ordinateur.

— Oui. J'ai déjà promis que je le rapporterais aujourd'hui.

— Je voudrais que tu y ailles tout de suite.

Xavier s'est alors fait suppliant.

— Oh! Non. Maman! Je ne peux pas y aller maintenant. J'ai rendez-vous avec Jacob Durand-Lachance dans une demi-heure. Il doit m'aider pour mon examen de mathématiques. C'est demain et je n'y comprends absolument rien. Tu le sais, je suis nul en maths.

— L'un n'empêche pas l'autre. Je peux t'emmener en voiture chez l'amie à qui tu as prêté ton ordinateur et te laisser ensuite chez Jacob.

— J'irai chercher mon ordinateur tout de suite, si c'est ce que tu veux, mais pas avec toi. J'aurais l'air de quoi? J'ai douze ans, maman! Je ne suis plus un bébé. Ce n'est pas moi qui ne vais pas bien, c'est vous. Vous me surveillez tellement que vous m'empêchez de respirer. J'étouffe! C'est peut-être pour ça que j'ai l'air bizarre.

À présent, Xavier regarde sa mère qui se mordille la lèvre inférieure comme chaque fois qu'elle hésite. Il croit avoir marqué un point. Elle va sûrement lui permettre d'aller récupérer son ordinateur tout seul. Il n'est pas question qu'elle le conduise chez Blanche Nouille. Il imagine déjà l'avalanche de questions que cela provoquerait.

Alors que le visage de sa mère s'adoucit, signe habituel qu'elle s'apprête à céder à sa demande, la porte d'entrée s'ouvre et des voix se font entendre.

— Entrez, je vous prie, dit son père.

— Merci, répond un autre homme.

Sa mère se tourne vers son père au moment où celui-ci pénètre dans la pièce, accompagné d'un inconnu.

C'est la première fois que Xavier le voit. Il n'est pas en uniforme mais pourtant, le jeune garçon devine, il ne sait trop pourquoi, que c'est un policier, ou quelque chose qui y ressemble beaucoup. Et pour une mystérieuse raison, son cœur se met à cogner très fort dans sa poitrine. Peut-être à cause de l'air sombre de son père.

— Laurie, je te présente l'inspecteur Constantin.

À ce nom, Xavier devient d'une pâleur qui le trahit tout de suite.

— Bonjour, monsieur, dit sa mère, le sourcil froncé, en lui tendant la main.

— Madame, répond Constantin en la lui serrant.

Son père se tourne alors vers lui.

— Quant à toi, pas besoin de présentations, n'est-ce pas ? Vous vous connaissez déjà, tous les deux.

Xavier a l'impression que son sang se retire d'un seul coup de sa tête en aspirant tout ce qui se trouve dans son cerveau. C'est un petit peu comme mourir. Il voudrait disparaître sur-le-champ, ou bien devenir subitement orphelin. N'importe quoi plutôt que de vivre la minute qui s'en vient et qui sera, à coup sûr, la pire minute de toute son existence.

— Je peux savoir ce qui se passe ? demande sa mère en essayant très fort de garder son sang-froid.

— Notre fils est un petit malin, répond son père avec un sourire amer. Sais-tu comment il s'est retrouvé dans cette maison où il a été kidnappé ?

— Comment ? fait sa mère en serrant dans son poing, exactement à la hauteur du cœur, sa blouse de peintre encore maculée de couleurs.

Son père esquisse un geste de la main vers l'inspecteur, comme pour l'inviter à prendre la parole.

Xavier voudrait que le temps s'arrête là, tout de suite. Mais il voit s'ouvrir la bouche d'où, il le sait, vont sortir des paroles qui seront comme des coups de poignard dans le cœur de sa mère.

— Cette nuit-là, à deux heures du matin, j'ai reçu un appel à la Sûreté municipale. En regardant sur l'afficheur, j'ai pu constater qu'il provenait de chez vous. Votre mari... Enfin j'ai cru que c'était lui... Il parlait tout bas, comme pour ne pas réveiller les gens qui dormaient... Cette personne, donc, m'a demandé une information : le nom et l'adresse du propriétaire d'une voiture dont il avait le numéro de plaque d'immatriculation. J'ai trouvé cette demande un peu étrange, comme ça en pleine nuit, mais il m'a dit qu'il avait besoin de contacter cette personne, qu'elle avait peut-être été témoin de quelque chose dans une cause qui devait se plaider le lendemain matin. Je suis tombé dans le panneau et je le lui ai donné l'information. La voiture appartenait à monsieur Lenoir, le directeur de la banque, qui semble avoir été mêlé de près ou de loin à l'affaire de méchanceté juvénile. Son adresse, c'est celle de la maison où votre fils a été kidnappé. Aujourd'hui, j'ai eu l'idée de communiquer avec votre mari pour savoir s'il détenait des informations sur monsieur Lenoir qui pouvaient nous être utiles dans notre enquête. Mais il n'était même pas au courant de l'appel téléphonique...

Sa mère se tourne vers Xavier avec un regard horrifié, comme s'il venait tout à coup de se transformer en monstre hideux couvert de pustules, comme si elle le voyait pour la première fois, comme si elle ne le connaissait pas du tout. Et ça, comprend Xavier, c'est presque pire que d'être orphelin..

— Bon, je vous laisse régler ça entre vous, conclut Constantin en prenant un air désolé comme s'il regrettait d'avoir involontairement semé la zizanie dans une si belle famille.

— Merci, lui dit son père en le raccompagnant. Je vous rappellerai.

Laurie n'a pas quitté son fils des yeux.

— C'est très grave ce que tu as fait là, Xavier.

— Je sais, soupire ce dernier en baissant la tête. Mais je peux t'expliquer.

— Non. Je ne veux pas d'explications, lui dit sa mère entre ses dents, comme si elle faisait de grands efforts pour ne pas hurler. En ce moment, je suis trop en colère. Alors, en attendant que je me calme, voici ce que tu vas faire. Écoute-moi bien, parce que je ne le répéterai pas deux fois. Tu vas immédiatement aller chercher ton ordinateur. Ensuite, tu te rends tout droit chez Jacob Durand-Lachance, et après tes maths tu reviens directement ici. Pendant ce temps, ton père et moi, nous allons décider de la punition que tu mérites. Tu en as pour combien de temps à préparer ton examen?

— On va se faire des sandwiches et travailler jusqu'à ce que je comprenne. Ça peut être long… Je ne sais pas…

— Eh bien, moi, je sais une chose : si tu n'es pas revenu à vingt heures trente précises, tu pourras dire adieu à l'équipe de foot jusqu'à la fin de l'année.

C'est au tour de Xavier de prendre un air horrifié. Mais cela ne semble pas émouvoir sa mère le moins du monde.

— Tu m'as bien comprise ?

— Oui, maman.

Xavier enfile son blouson, disparaît à toute vitesse et va sortir son vélo du cabanon où il le range tous les jours. Il se demande s'il aura assez de trois heures, en pédalant le plus vite qu'il peut, pour aller jusque chez Blanche Nouille récupérer son portable, revenir chez Jacob Durand-Lachance, préparer son examen et rentrer chez lui. Tout cela, en supposant bien sûr qu'il pourra comprendre quelque chose aux mathématiques avec un cerveau en ébullition et une punition sûrement énorme qui lui pend au nez.

Il a à peine donné deux coups de pédale pour s'engager dans l'allée qui mène vers la rue qu'il s'arrête net. Il vient d'entendre la voix de Constantin. Abandonnant son vélo, il se plaque contre le mur de la maison et avance prudemment jusqu'à ce qu'il aperçoive l'inspecteur, qui lui tourne le dos. Debout sur le trottoir, tout près de sa voiture, il parle à quelqu'un sur son téléphone cellulaire.

— Vous êtes combien sur place ?

— …

— Parfait. J'aimerais que tu envoies un agent voir ce qui se passe chez la voisine, madame Blanche Nouille.

Xavier se fige net et écoute attentivement la suite.

— Constance Potvin vient de m'appeler pour me dire qu'un témoin a vu quatre ou cinq individus à l'air louche s'enfuir de chez elle en sautant par une fenêtre.

— …

— Je n'ai pas dit que je la croyais, mais ça ne coûte rien de vérifier.

— …

— Non, non. Pas besoin de fouiller la maison. Vois ce qu'il en est et on décidera ensuite si ça vaut la peine de déranger un juge à cette heure-ci pour obtenir un mandat de perquisition.

— …

— Parfait. J'attends de tes nouvelles.

L'inspecteur rempoche son téléphone, monte à bord de sa voiture et quitte les lieux. Xavier attend qu'il tourne le coin de la rue avant de s'élancer à toute vitesse vers le Parc du mont d'Or.

Très inquiet, il se demande ce qui a bien pu arriver à ses nouveaux amis.

21

———◆———

Un peu plus tard, Blanche Nouille entre sans bruit dans la maison en empruntant la porte de la cuisine. Elle espère que sa tante ne s'est pas rendu compte de son absence, qui a duré plus longtemps qu'elle l'aurait souhaité.

Mais dès qu'elle pousse la porte qui mène à la salle à manger, elle se retrouve nez à nez avec son aïeule.

— Veux-tu bien me dire où tu étais passée ? s'écrie cette dernière.

— Je n'étais pas loin, je m'occupais des affaires de la ferme.

— Et cette Mathilde ?

— Elle était avec moi.

— Eh bien, j'ai dû aller ouvrir la porte moi-même, figure-toi. Et deux fois plutôt qu'une.

— Quelqu'un est venu ici ? demande Blanche Nouille, un peu inquiète.

— D'abord, il y a eu cette journaliste, Constance Potvin.

— Constance Potvin ? s'exclame Blanche Nouille, terrifiée à l'idée de tout ce que l'incorrigible commère a pu rapporter à son sujet.

— Une jeune femme très mal élevée, si tu veux mon avis ! Elle est venue me dire que quelqu'un avait vu des fantômes s'enfuir par la fenêtre.

— Elle vous a dit ça ? Des fantômes ?

— Je lui ai tiré les vers du nez, et j'ai appris que c'est en réalité madame La Tronche qui l'a alertée. Imagine un peu, il paraît qu'elle surveille notre maison au moyen de jumelles ! Elle t'en veut sûrement à cause de cette histoire de chat, et elle cherche à se venger.

— Constance Potvin vous a raconté ce qui est arrivé au chat de madame La Tronche ? s'inquiète Blanche, désespérée.

— Oui. D'ailleurs, je ne sais vraiment pas ce qui t'a pris de t'occuper de faire réparer – gratuitement en plus – son aspirateur. Tu vois comment elle te remercie. Mais bon, j'ai remis la journaliste à sa place, rassure-toi. Après tout, ils sont à nous, ces fantômes. Ils n'appartiennent à personne d'autre et il n'est pas question qu'ils fassent les manchettes des journaux. Quelle honte ce serait pour la famille. Mes frères ne s'en remettraient jamais !

— Vous avez nié, alors ? demande Blanche, une lueur d'espoir dans les yeux.

— Évidemment. Et ensuite, je l'ai mise à la porte.

Tout à coup, Blanche Nouille a une furieuse envie d'embrasser la vieille dame. Pour une fois qu'elles sont dans le même camp! Mais elle retient son geste, parce que la tante Ursula trouverait très louche ce soudain débordement d'affection.

— Mais la petite chipie s'est ensuite empressée d'avertir la police! ajoute la tante Ursula, faisant éclater en mille miettes la joie de Blanche.

— La police?

— Oui, un des agents qui surveillent la maison d'à côté... Trop jeune pour faire ce métier, je trouve. Il n'avait même pas trois poils au menton. Quoi qu'il en soit, il s'est présenté pour vérifier les allégations de cette impertinente. Je l'ai mis à la porte, lui aussi. Il y a des limites à venir enquiquiner les honnêtes gens chez eux.

— À la porte? Mais, tante Ursula...

— Je ne pouvais pas faire autrement. Quand je lui ai dit que je n'étais au courant de rien, il m'a demandé s'il pouvait fouiller la propriété. Je n'allais quand même pas risquer qu'il découvre les fantômes de mon père, d'Adalbert, de la tante Artémise et des deux autres que je n'ai pas pu reconnaître. J'ai refusé tout net. Le jeunot en a eu l'air offusqué. Il m'a alors dit que, vu mon refus de collaborer, il se verrait forcé de revenir avec un mandat de perquisition en bonne et due forme. Et puis, il est reparti.

— Un mandat de perquisition? Oh! Non! Un mandat de perquisition? Euh... Je reviens... J'ai oublié de dire quelque chose d'important à Gaspar avant qu'il rentre chez lui. Ensuite, nous... nous discuterons de ce qu'il faut faire.

— Ce qu'il faut faire, c'est appeler un avocat.

— Non, ma tante, surtout pas. Un avocat poserait plein de questions, lui aussi. Ne bougez pas, je vous en supplie. Je reviens tout de suite!

La tante Ursula lève les yeux au ciel, hausse les épaules et s'en retourne dans la bibliothèque, tandis que Blanche se rue à l'extérieur.

Quand elle entre dans l'écurie, Blanche aperçoit Gaspar, affairé à balayer le plancher. Elle va lui parler tout bas quelques instants. Il hoche la tête, comme s'il acceptait de remplir une mission.

Puis, elle se tourne vers ses amis, installés un peu plus loin, dans un coin que Gaspar a déjà nettoyé et où il a étalé une bonne épaisseur de paille en guise de matelas. Elle hésite, observe les Onariens pendant un moment.

Delphinia s'est retirée un peu à l'écart des autres avec Esbrouffe et ils rigolent tous les deux devant le portable de Xavier. Frizouille s'est improvisé un fauteuil, contre le mur, à l'aide de bottes de foin recouvertes d'un édredon. Il lit les derniers dépliants publicitaires laissés par le facteur. Clara, fascinée par la vieille jument, lui donne des bouts de carottes et elle a un petit rire nerveux chaque fois que la gentille bête attrape délicatement un morceau entre ses lèvres, ce qui chatouille un peu la paume de la Clairvoyante. Mélinda aide Mathilde à préparer une salade, pour le repas qu'ils vont prendre bientôt. Elles parlent ensemble. On dirait qu'elles sont copines depuis toujours.

Ils ne se doutent de rien, se dit Blanche Nouille, le cœur serré. *Ils ne savent pas encore qu'ils vont devoir partir.*

En courant de la maison à l'écurie, elle a déjà pensé à tout. Gaspar a pour mission de les emmener, cachés dans le camion de livraison, jusque dans la forêt où ils se terreront le temps que soit écarté tout danger d'être découverts par la police.

Mais de les voir ainsi, tranquilles et plutôt heureux, lui enlève le courage de leur annoncer cette mauvaise nouvelle. Elle ne peut supporter l'idée de les mettre à la porte et de les envoyer dans le froid, même si ce n'est que pour quelques heures, une journée tout au plus, et que leur sécurité en dépend. Ils lui font aveuglément confiance et voilà qu'elle les trahirait en les chassant de chez elle. Elle se sent responsable d'eux comme s'ils étaient ses propres enfants. Elle a l'impression de faillir à la tâche, comme ses parents l'ont fait avec elle.

Tout à coup, épuisée, malheureuse et tourmentée, elle s'assoit sur une botte de foin, le visage dans les mains. Elle se met à pleurer, tout doucement d'abord, puis à gros sanglots, comme une enfant qui aurait un chagrin trop grand pour elle.

Les Onariens accourent et, ayant appris ce qui la chagrine, ils tentent de la consoler du mieux qu'ils peuvent :

— Nous avons toujours vécu dans la nature, ma chère Blanche, lui dit Frizouille en lui tapotant une main. Des maisons, nous n'en avions jamais vu avant de vous connaître.

— Mais c'est rudement agréable, les mais... commence Delphinia, avant de recevoir dans les côtes un coup de coude de Clara qui veut la faire taire.

— C'est rudement agréable, les édredons, se reprend l'Elfe.

— Nous nous retrouverons après, soyez sans crainte, promet Clara.

— Il ne peut rien nous arriver, jure Esbrouffe en faisant le bouffon pour détendre l'atmosphère. Nous courons plus vite que tous les humains. Pas un seul n'a encore réussi à nous rattraper.

Mélinda ne dit rien. Elle essaie seulement de ne pas montrer qu'elle est terrorisée.

C'est alors que Blanche Nouille relève la tête, le visage inondé de larmes, et qu'elle leur jette ce cri du cœur :

— Je pense que vous ne comprenez pas ce que vous représentez pour moi. Vous êtes ma seule véritable famille. Vous êtes mon père, ma mère et les frères et sœurs que je n'ai jamais eus. Vraiment! Je vais vous dire pourquoi.

Le visage de Blanche Nouille prend alors une curieuse expression, les sourcils un peu froncés, le regard au loin, comme si ses amis avaient disparu et qu'elle contemplait, plus loin que les murs de la vieille écurie, quelque chose qui se trouverait à une très grande distance.

— J'avais cinq ans. C'était un dimanche magnifique du mois de juin. Mes parents m'avaient amenée ici, chez mon grand-père Albéric Nouille. Ils voulaient un peu se débarrasser de moi, en fait. Mes parents ne savaient jamais trop quoi faire, durant les vacances, de la fillette encombrante que j'étais, qui posait toujours trop de questions et qui les empêchait d'aller et de venir à leur guise, de voyager, de rencontrer des gens importants, de fréquenter la haute société.

— Vos parents vous aimaient sûrement, lui dit gentiment Frizouille. Tous les parents aiment leurs enfants.

— À part les Escogriffes, rappelle Esbrouffe.

— Mais les Escogriffes ont disparu, justement, précise Clara.

— Sauf le Grand Schrapzzz, ajoute Delphinia.

— Ils m'aimaient sans doute, à leur manière, concède Blanche Nouille, mais ils aimaient encore plus les mondanités. Ce jour-là, donc, j'étais ici. Je me sentais heureuse comme je l'ai rarement été. Il faisait beau. J'étais dans cette belle nature généreuse. Ma mère m'avait mis une robe blanche toute neuve. Le soleil chauffait mes bras et mon visage. Et surtout, j'étais chez mon grand-père, que j'adorais parce qu'il me ressemblait beaucoup, au fond. J'étais tellement contente que je suis entrée dans la maison en courant et en chantant à tue-tête le simple bonheur d'être en vie. Mon père m'a brutalement ordonné de me taire, disant que j'étais impolie et que je dérangeais les adultes.

— Ooooh! font les Onariens en chœur, presque malgré eux, comme s'ils ressentaient au plus profond d'eux-mêmes la vive douleur de la fillette de cinq ans.

— Et puis, ç'a été au tour de ma mère de me faire des reproches. J'avais fait un accroc à ma robe en grimpant dans un pommier pour voir de plus près les abeilles qui butinaient les fleurs. Je me suis enfuie dans la bibliothèque et je me suis mise à pleurer, recroquevillée dans le grand fauteuil de cuir.

À ce moment, Blanche porte les mains à son cœur et plisse le front comme si elle tentait de trouver les mots justes pour exprimer la douleur de cette petite fille qu'elle avait été.

— J'avais tellement de peine. Ils avaient… Ils avaient cassé ma joie, vous comprenez ?

Les Onariens acquiescent en silence, les yeux pleins d'eau.

— Comme ça, tout net et sans véritable raison, par quelques mots durs et un regard où il y avait plus de colère que d'amour. C'est à ce moment-là que mon grand-père est venu me rejoindre. Il a pris dans son coffre-fort le livre *Onaria, le monde parallèle*, m'a fait asseoir sur ses genoux et, pour la première fois, il a commencé à me lire cette extraordinaire histoire.

Les Onariens sourient à travers leurs larmes, émerveillés.

— Avec le temps, ce livre est devenu mon refuge. C'est pour cette raison que je l'ai lu des milliers de fois, que je le connais par cœur, et que vous êtes ma famille. La seule véritable famille que j'aie jamais eue. À part mon grand-père, bien sûr. Mais il est mort depuis bien des années, maintenant. Je veux que vous sachiez qu'il n'était pas un faiblard, comme le répète sans cesse ma tante Ursula. Je l'ai très bien connu. C'était un être merveilleux, qui m'a aimée et m'a pratiquement élevée à partir du moment où mes parents se sont mis à voyager autour du monde.

— Vos parents n'ont pas voulu vous emmener avec eux? demande Mélinda, horrifiée.

— Non. Voyez-vous, mes parents voulaient avoir un seul enfant, et ils avaient espéré que ce serait un garçon. Chez les Nouille, de père en fils, l'aîné des enfants est toujours un garçon. Et moi, je leur ai fait l'affront de naître fille… Mon grand-père s'en fichait bien, lui. Il m'aimait, c'est tout.

— Et il était un admirable sculpteur, dit doucement Frizouille en levant le bâton de marche dont il ne se sépare plus.

— Oui. D'ailleurs, vous devriez l'examiner attentivement, ce bâton. Je suis sûre que les figures qui y sont sculptées vous rappelleront quelque chose.

Dans les derniers rayons de lumière oblique qui filtrent à travers les carreaux poussiéreux, les cinq têtes d'Onariens se penchent au-dessus du bâton de marche.

Il faut à peine quelques secondes pour que leurs visages s'éclairent.

— Là, il y a une figure d'Elfe, avec ses grandes oreilles pointues, s'exclame Delphinia.

— Et ici, un Spitzouc, un Truffon et une tourloupette, s'émerveille Esbrouffe, épaté. Ils sont très ressemblants!

— Oui, acquiesce Blanche Nouille, extrêmement fière. Pour me faire plaisir, grand-père a sculpté trois cent quatre-vingt-sept figures sur son bâton de marche, une pour chaque espèce d'Onariens.

— Il en manque une alors, constate Clara. Il y a trois cent quatre-vingt-huit espèces d'êtres vivants, chez nous.

Blanche sourit :

— Il trouvait que les Escogriffes n'étaient pas dignes d'être représentés ici, parce qu'ils sont trop méchants. Et j'étais bien d'accord avec lui. Moi, non plus, je n'apprécie pas les êtres qui n'aiment pas les enfants…

— Il avait un talent exceptionnel, c'est certain, dit Frizouille, admiratif, en regardant le bâton avant d'étouffer discrètement un long bâillement.

— Mais voilà. Dans la famille Nouille, on ne fait pas ce qu'on veut, reprend Blanche Nouille. Un aristocrate ne se salit pas les mains, disait-on. Le travail manuel, c'est pour les gens du peuple. Alors, mon grand-père n'a jamais pu devenir un vrai sculpteur, ni exposer ses œuvres. Il ne fallait pas que sa passion pour le travail du bois se sache.

À ce moment, un drôle de bruit interrompt le récit de Blanche Nouille. Frizouille s'est endormi et il ronfle de tout son cœur. Jamais avant aujourd'hui il n'a lutté aussi fort contre le sommeil, mais en ce mois d'octobre, les journées sont plus courtes qu'à Onaria. Le soleil se couche assez tôt. Et quand on est un Vieuzomme comme lui, on ne peut s'empêcher de s'endormir au coucher du soleil. C'est génétique.

Blanche revient tout à coup à la réalité. Elle s'essuie vivement les yeux, se secoue, sourit à ses amis et annonce qu'elle s'en va, de ce pas, préparer leur fuite avec Gaspar avant que les agents n'arrivent pour fouiller la propriété.

Lorsqu'elle referme la porte, Clara, Mélinda, Esbrouffe et Delphinia se regardent, consternés, incapables de prononcer un mot.

C'est dans ce silence qu'un bip se fait entendre sur l'ordinateur de Xavier, toujours ouvert. Delphinia se précipite, suivie d'Esbrouffe.

Il y a un message pour elle.

22

—◆—

Quand Xavier atteint le chemin des Pâquerettes, il a sûrement battu son propre record d'endurance à vélo. La route qui serpente jusqu'au manoir monte quasiment sans arrêt. Heureusement qu'il fait beaucoup d'exercices cardio durant ses entraînements de foot, sinon il n'aurait pas tenu le coup. Malgré tout, il est en nage et à bout de souffle. Il en voit presque des étoiles tellement son cœur bat vite. Il s'encourage en se disant que ça ira tout seul, plus tard, pour redescendre jusqu'à Val-Mont-d'Or où habite Jacob Durand-Lachance.

Lorsqu'il aperçoit au loin la maison de Blanche Nouille, il se rend compte qu'il a bêtement oublié un détail. Deux, même. D'abord, il y a la tante Ursula, qui n'a pas l'air commode du tout. Il ne peut tout de même pas sonner à la porte, et lui dire : « Coucou, c'est moi ! Je viens récupérer le portable que j'ai prêté à Blanche Nouille pour qu'elle vous fasse croire qu'elle est en train d'informatiser les comptes. » Ensuite, il y a l'agent envoyé par Constantin. Il n'a pas du tout envie de tomber nez à nez avec lui. Il a déjà bien assez d'ennuis comme ça.

Sauf qu'il en aura encore plus s'il ne rapporte pas son ordinateur à la maison. Aïe! Aïe! Aïe! Comment faire?

En approchant, il voit soudain, éclairés par un réverbère, les deux agents qui montent la garde devant la maison de monsieur Lenoir et qui tournent la tête dans sa direction. Mine de rien, il continue de pédaler à un bon rythme. Il passe devant la demeure du Grand Schrapzzz, puis devant le manoir de Blanche Nouille sans ralentir ni même y jeter un coup d'œil.

Plus loin, il regarde par-dessus son épaule et s'arrête. La haute rangée de thuyas qui borde la propriété de monsieur Lenoir le cache à la vue des agents.

Il profite de l'obscurité – et de l'écran formé par les arbres – pour revenir tout doucement jusqu'au manoir. Il longe la maison et appuie son vélo contre le mur, à l'arrière. Il avance à pas de loup vers la porte vitrée de la cuisine. Tapi dans l'ombre, il observe ce qui se passe dans la pièce, heureusement bien éclairée. Blanche Nouille discute avec Mathilde en faisant de grands gestes comme si elle était très énervée. Personne d'autre en vue. Rassuré, il s'approche et frappe discrètement à la porte.

Blanche Nouille sursaute et s'empresse de venir ouvrir.

— Xavier?! Mais que fais-tu ici?

— Excusez-moi. Il faut que je récupère mon ordinateur tout de suite, dit-il d'un ton penaud. J'espère que vous n'en avez plus besoin.

— Non, non, lui répond son amie d'une voix basse et à toute vitesse. Merci beaucoup de me l'avoir prêté. Tu peux le reprendre, mais il faudra que tu ailles le chercher dans l'écurie. Delphinia l'a emporté là-bas avec elle.

— Dans l'écurie? fait Xavier, bien étonné.

— Ils ont dû s'y cacher aujourd'hui, répond Blanche Nouille, visiblement très anxieuse. Mais maintenant, ils ont quitté le domaine… Pour un temps seulement. Nous sommes en quelque sorte en… en état d'urgence.

— C'est à cause de l'agent qui est venu vous poser des questions?

— Tu es au courant? fait Blanche Nouille, abasourdie.

— Oui, soupire le jeune garçon. C'est une longue histoire… Je vous raconterai. Moi aussi, je suis un peu en état d'urgence.

— Ma tante a mis l'agent à la porte, mais il va revenir avec des renforts et un mandat pour fouiller la propriété. Alors, fais vite, je t'en prie. Il vaudrait mieux qu'ils ne te trouvent pas ici.

— Tout à fait d'accord!

Xavier s'élance… et entre en collision avec Gaspar qui, au même moment, arrivait à grands pas.

— Vous n'êtes pas encore partis? lui demande Blanche Nouille, affolée.

— Non. Il en manque un.

— Un quoi? fait sa patronne, de plus en plus agitée.

— Un de vos amis. C'est la petite Elfe, Delphinia. Elle a disparu.

— Quoi? J'arrive!

Blanche agrippe son manteau et l'enfile, tout en dévalant l'allée du jardin. Xavier et Gaspar lui emboîtent le pas.

◆

Dans l'écurie, c'est la consternation.

— On pensait qu'elle était seulement partie dans le bois tout près pour… vous savez… pour aller au petit coin, explique Clara, très inquiète.

— Mais elle n'est pas revenue! ajoute Mélinda, désespérée.

— Et vous ne m'avez rien dit? se lamente Blanche Nouille.

— On n'osait pas retourner à la maison, répond Mélinda. On pensait qu'on allait la retrouver. On l'a cherchée autour de l'écurie et à l'orée du bois. On n'a rien vu.

— Elle est sortie depuis combien de temps ?

— Ça doit faire près d'une heure, dit Clara.

Gaspar touche doucement le bras de Blanche Nouille pour attirer son attention. Quand elle se tourne vers lui, il fait un bref mouvement du menton vers Esbrouffe, qui se tient un peu à l'écart. Il se dandine d'un pied sur l'autre, le regard baissé, en se mordillant les lèvres.

— Tu sais quelque chose, Esbrouffe ? lui demande-t-elle.

Tous regardent le Blitz, qui semble être au supplice. Il se décide enfin à parler :

— Je… Je sais où elle est partie. Elle s'est fait un nouvel ami sur l'ordinateur de Xavier. Il lui a envoyé plusieurs messages depuis la nuit dernière. Et tout à l'heure, il lui a donné un rendez-vous.

— Un rendez-vous ? s'exclame Blanche Nouille, horrifiée. Mais où ça, un rendez-vous ?

— À Val-Mont-d'Or.

— Elle est folle ou quoi ? s'écrie Clara. Ce n'est vraiment pas le moment.

— Et puis, s'inquiète Mélinda en roulant des yeux effrayés, ça peut être n'importe qui, cet humain qui lui a donné rendez-vous.

— Ce n'est pas n'importe qui, puisque c'est son nouvel ami, réplique Esbrouffe, sûr de lui. Elle le connaît. Il lui a écrit plusieurs fois et il a l'air très gentil.

— Il a l'air gentil ? Mais elle n'en sait rien du tout, gémit Blanche Nouille. Nous ne sommes pas à Onaria, ici ! Elle est complètement inconsciente. Comme si on n'avait pas déjà assez de soucis.

— Ce n'était pas pour mal faire, marmonne Esbrouffe en reniflant, au bord des larmes. Son ami disait que si elle ne venait pas ce soir, il ne lui écrirait plus jamais. Delphinia, elle a besoin de voir du monde. Elle mourait d'ennui, enfermée dans le grenier et puis maintenant ici. Ce n'est pas sa faute. C'est une Elfe et les Elfes aiment s'amuser. Elle s'est dit que, puisque de toute façon, il fallait partir, elle allait seulement le faire un peu plus tôt.

— Mais tu as bien vu qu'on se rongeait les sangs, non ? s'écrie Clara.

— Tu nous as laissés la chercher pour rien ! ajoute Mélinda.

Esbrouffe baisse encore la tête.

— Pardon. Elle m'a fait promettre de garder le secret pendant une heure, pour lui donner le temps… et pour que vous ne l'empêchiez pas d'y aller… Gaspar nous avait dit que les agents ne reviendraient sûrement pas avant deux heures, le temps d'avoir leur… leur tas de… permissions.

— Mandat de perquisition, corrige Gaspar, qui regrette amèrement de leur avoir parlé de cela.

— Oui… et qu'on aurait le temps de manger, de faire les bagages et d'attendre qu'il fasse complètement noir pour que personne ne puisse nous voir. Elle m'a promis qu'elle ne serait pas partie pour longtemps. Elle va nous rejoindre à vingt heures au parc qu'on connaît, à Val-Mont-d'Or, dans la rue Principale… Celui qui est en face de la boutique où il y avait l'édredon… Elle se disait qu'en camion, ce ne serait pas un très long détour, qu'on pourrait aller la chercher là-bas et s'en aller dans la forêt après.

— Tu sais où il est, ce rendez-vous? demande Xavier, qui connaît Val-Mont-d'Or comme le fond de sa poche.

— C'est un endroit qui s'appelle… qui s'appelle… C'est un drôle de nom… La piste de steak, ou quelque chose comme ça?

— La piste de skate, corrige Xavier. D'accord. Je sais où ça se trouve.

— Mais Delphinia ne le sait pas, elle! s'exclame Blanche Nouille.

— Oh! oui, la rassure Esbrouffe. Son ami lui a envoyé une carte avec le chemin. Elle a tout ça sur l'ordinateur.

— Delphinia est partie avec mon ordinateur? s'écrie Xavier.

— Ben… oui, répond Esbrouffe.

— Son ami, tu sais comment il s'appelle? demande le jeune garçon, bien déterminé à retrouver au plus tôt Delphinia… et son portable.

— Charles de Noiret.

Xavier hausse les sourcils.

— Je ne connais aucune famille qui porte ce nom-là dans tout Val-Mont-d'Or, dit-il.

Blanche Nouille porte les mains à son cœur.

— Oh! Non!

— Quoi? font en chœur Clara, Esbrouffe et Mélinda.

— Noiret! Ça ne vous rappelle rien?

Les autres hochent la tête sans comprendre.

— Noiret, Lenoir, Schrapzzz! martèle Blanche d'une voix tremblante.

Les Onariens prennent un air horrifié.

— Schrapzzz? demande Gaspar, qui a du mal à suivre.

— Le mot Schrapzzz signifie Noir dans le langage des Escogriffes, lui explique Blanche, le souffle court.

— Vous pensez que le Grand Schrapzzz a pu aller dans la machine de Xavier pour donner rendez-vous à Delphinia? s'exclame Mélinda, terrorisée.

— Il n'y a pas une minute à perdre, s'écrie Blanche Nouille. Gaspar, prenez tout le monde à bord du camion de livraison. Il faut aller là-bas le plus vite possible.

— D'accord. Soyez pas inquiète, madame Blanche. Je vais la retrouver. La petite est sûrement encore sur la route. Il y a plus d'une heure de marche jusqu'à Val-Mont-d'Or.

— Ben... c'est que... elle n'est pas partie par la route, laisse tomber Esbrouffe. Elle a dit qu'elle prendrait un raccourci à travers les champs.

— Mais elle va se perdre ! se désole Gaspar.

— Non, explique Blanche. Les Onariens naissent tous avec un grand sens de l'orientation. Et ce soir, il y a la pleine lune. On y voit presque aussi clair qu'en plein jour. Le danger, ce n'est pas qu'elle se perde. C'est qu'elle fasse de mauvaises rencontres.

— Je n'ai jamais pensé au Grand Schrapzzz ! fait Esbrouffe en se prenant la tête à deux mains.

— C'est un peu tard pour les regrets, lui lance sévèrement Clara.

— Peut-être qu'on peut arriver à la piste de skate avant elle, dit Xavier. Je vais vous guider.

— Allons-y, décide Gaspar en s'élançant à l'extérieur.

Bientôt, on charge à bord du camion les édredons, les vivres, le vélo de Xavier et... Frizouille, qui dort profondément et n'a pas la moindre idée du drame qui se joue. Clara, Mélinda et Esbrouffe prennent place sur la banquette arrière tandis Xavier grimpe à l'avant à côté de Gaspar pour lui indiquer le trajet jusqu'au lieu du rendez-vous.

Aussitôt les portières refermées, l'homme à tout faire démarre. Pour ne pas attirer l'attention, il emprunte un chemin qui traverse le petit bois situé derrière la propriété. Quelques centaines de mètres plus loin, il pourra rejoindre la route et foncer vers Val-Mont-d'Or.

Blanche Nouille n'a pas pu partir avec eux. Comment aurait-elle justifié qu'elle s'absente tout à coup, alors qu'elle attend avec sa tante la visite imminente d'agents munis d'un mandat de perquisition?

Impuissante et morte d'inquiétude, elle ne peut que regarder le camion s'enfoncer dans le sous-bois en cahotant sur le mauvais chemin de terre.

— Pourvu qu'ils arrivent avant le Grand Schrapzzz, murmure-t-elle, l'estomac noué par la peur.

23

—◆—

Gaspar gare le camion en bordure du trottoir devant l'école de Xavier. Il tourne la clé. Le moteur se tait. À travers le pare-brise, cinq paires d'yeux scrutent attentivement les alentours. Tout paraît calme.

— La piste de skate est là-bas, derrière le terrain de foot, dit Xavier.

Une minute plus tard, pour ne pas se faire repérer, le petit groupe se fond dans le noir en longeant le bois qui borde les terrains de sport.

Quand ils arrivent près de la piste de skateboard, Xavier fait signe à ses amis de s'arrêter. Ils s'immobilisent, aux aguets, tous leurs sens en éveil. Il n'y a pas un chat, pas un son. Les lieux sont un peu sinistres, plongés ainsi dans l'obscurité. Sous l'effet de la lune qui joue à cache-cache derrière les nuages, des ombres bleutées s'esquissent un instant pour s'évanouir aussitôt.

À une dizaine de pas, des gradins se dressent. Ils accueillent habituellement les spectateurs, mais à cette heure et à ce temps de l'année, l'endroit semble désert.

Ils poussent un soupir de soulagement en constatant que personne n'est encore arrivé au rendez-vous.

Soudain, le rire cristallin de Delphinia fuse dans le silence. Ils scrutent la nuit et finissent par repérer l'Elfe, assise à mi-hauteur dans les gradins, presque invisible dans la pénombre. À côté d'elle, ils devinent une silhouette plus grande, mince, portant un manteau sombre et un chapeau à large bord.

Le Grand Schrapzzz!

Gaspar fait signe à ses compagnons de se déployer autour des gradins, les trois Onariens derrière, Xavier d'un côté et lui de l'autre.

Ils sentent qu'ils doivent être d'une extrême prudence car le Grand Schrapzzz pourrait bien être armé d'un instrument magique. Tout faux mouvement de leur part mettrait la sécurité de l'Elfe – et la leur – en danger.

La voix de Delphinia s'élève, joyeuse.

— Non, pas très longtemps. Un mois, à peu près. Comment as-tu deviné?

Une voix basse, presque un chuchotement, lui répond sans qu'on puisse distinguer un seul mot.

C'est inouï. On dirait que Delphinia n'a pas encore reconnu son ennemi.

— Un accent ? Tu trouves ? dit-elle.

Tout à coup, les nuages se dissipent et la lune apparaît, très brillante. Delphinia, tournée vers son mystérieux compagnon, son bonnet enfoncé jusqu'aux oreilles pour cacher ses oreilles pointues, reçoit la lumière en plein visage. Jamais sa figure n'a paru aussi argentée, presque bleue sous cet éclairage lunaire.

L'inconnu au manteau sombre se lève d'un bond. Xavier et Gaspar s'élancent, croyant qu'il va s'en prendre à Delphinia, mais ils entendent plutôt une exclamation de terreur.

— Mais… Mais… Tu n'es pas… Aaaaaaah !

Le cri est rauque, alternant entre l'aigu et le grave en une série de trémolos typiques des jeunes garçons dont la voix mue. Le visiteur s'est redressé si brusquement qu'il perd l'équilibre, fait de grands moulinets dans le vide et tombe à la renverse dans les gradins. Il se relève aussitôt, mais avant qu'il ait pu prendre ses jambes à son cou, quelqu'un l'agrippe par son manteau.

— Christian Brazeau ! s'écrie Xavier, qui a reconnu la voix du crack en informatique boutonneux, et qui le maintient fermement. Même pas capable de donner des rendez-vous en pleine clarté. Tu as peur de te montrer sous ton vrai jour ?

— Je n'ai pas peur… Je n'ai pas peur, proteste Christian de sa voix de fausset en essayant de crâner. Et toi, Xavier Marcotte, qu'est-ce que tu fais là?

Xavier ne sait pas quoi répondre à cette question. Alors il en pose une autre, le temps de trouver une explication qui se tienne.

— Tu lui as dit que tu avais quel âge, au fait?

— Dix-sept ans! répond à sa place Delphinia, très vexée que son nouvel ami ait eu aussi peur en voyant son visage, alors que chez les Elfes, on la trouve jolie. Très jolie, même.

— Mensonge. Il en a treize à peine! rectifie Xavier en ricanant.

— Et il m'a aussi dit qu'il était un prince moldave! ajoute l'Elfe sans décolérer.

Xavier pouffe de rire, ce qui lui donne quelques secondes de plus pour réfléchir. Il ne faut pas que cet idiot de grand flanc-mou puisse aller raconter à tout le monde qu'il a vu une Elfe à Val-Mont-d'Or, sinon ses amis onariens seront démasqués. Heureusement, Xavier a une idée vraiment géniale!

— On t'a bien eu, hein? s'écrie-t-il en riant.

— Comment ça? fait Christian d'une voix tremblante.

— C'est du maquillage, triple idiot. Elle s'est déguisée en Elfe. J'ai voulu faire la démonstration qu'on pouvait tromper n'importe qui sur Internet et qu'il fallait être prudent. C'est pour mon cours de citoyenneté. J'ai inscrit mon amie sur le site *Trouvez des amis sur le Web*. Et tu es tombé dans le panneau comme un amateur. Elle ne s'appelle même pas Delphinia.

— Elle m'a menti ! proteste Christian, offusqué.

— Et toi, alors ? réplique Delphinia, hors d'elle. Tu m'as dit la vérité, peut-être, monsieur le prince ?

Gaspar retient la jeune Elfe, à la fois déçue, humiliée et très en colère de s'être fait berner de la sorte. Il l'entraîne avec les autres vers le camion. La lune est de plus en plus brillante et il ne faut surtout pas que le jeune homme les voie clairement.

— Qui c'est, tout ce monde ? demande Christian en regardant les cinq silhouettes qui s'éloignent rapidement.

— Comme je ne savais pas à qui j'avais affaire, j'ai préféré amener des renforts. Tu es vraiment chanceux d'être tombé sur moi, Christian, parce que je vais te faire une faveur. Je ne mentionnerai pas ton nom dans mon travail. Ça t'évitera de subir la pire humiliation de ta vie.

— Et eux, ils ne diront rien ?

— Non. Je te le jure sur mon honneur de capitaine de l'équipe de foot.

— Bon. D'accord. Tu sais, je voulais juste connaître une fille, c'est tout… Je n'ai rien fait de mal.

— Tu n'es pas encore prêt à ça, je pense. Allez, file! Mais avant, je dois te faire un aveu…

— Quoi?

— Ton déguisement de prince moldave est super ridicule.

Christian hausse les épaules de dépit avant de disparaître sans demander son reste. Xavier le suit du regard pendant quelques instants. Puis il récupère son ordinateur portable, resté dans les gradins, et va rejoindre ses amis qui sont remontés à bord du véhicule.

Lorsqu'il ouvre la portière pour prendre place à côté de Gaspar, Delphinia pleure à chaudes larmes. Elle est cruellement déçue de son mystérieux correspondant, qui s'est dégonflé en la voyant. Mais elle est aussi bouleversée de la terrible frousse qu'elle a provoquée chez ses amis et dont elle vient seulement de mesurer l'ampleur. Même Esbrouffe, qui se sent coupable de l'avoir poussée dans une aventure qui aurait pu très mal se terminer, l'accable de reproches.

— S'cusez, dit Gaspar en agitant son téléphone cellulaire dans sa main levée. Je dois faire un appel important à une personne qui s'inquiète beaucoup pour vous en ce moment. Et je crois pas qu'elle aimerait vous entendre vous chamailler comme une portée de chatons.

Les voix se taisent net.

— C'est quoi des chatons ? ne peut cependant s'empêcher de chuchoter Esbrouffe.

— Chhhhht ! font en chœur ses trois copines.

Gaspar compose le numéro, attend un moment et referme son cellulaire.

— C'est occupé, laisse-t-il tomber.

❖

Dans le manoir du chemin des Pâquerettes, Blanche Nouille parle en effet au téléphone. Quand il a sonné elle s'est aussitôt ruée sur l'appareil.

— Oui ? a-t-elle répondu d'une voix à la fois pleine d'inquiétude et remplie d'espoir.

— Bonsoir. Excusez-moi de vous importuner à cette heure-ci, a dit la voix à l'autre bout du fil. C'est l'inspecteur Constantin.

— Oui, inspecteur.

— Je voulais vous aviser qu'il n'y aura pas de perquisition.

— Ah, bon ? a dit Blanche Nouille, comme si ça ne l'inquiétait pas le moins du monde. Je peux savoir pourquoi ?

— Je ne vous cacherai pas que je suis un peu embarrassé… Le jeune agent qui est allé chez vous manque d'expérience et… C'est-à-dire… Quand on avertit les gens qu'on va revenir avec un mandat de perquisition... Ça... Ça ne sert à rien, n'est-ce pas ?... Enfin, s'ils ont des choses à cacher... Ils ont le temps de les faire disparaître avant notre arrivée...

— Ce qui n'est pas mon cas, bien sûr, l'a coupé Blanche Nouille, sur un petit ton sec et triomphant qui, à cet instant, l'a fait étrangement ressembler à sa tante Ursula.

— Sans doute. Toutes mes excuses... et bonne soirée.

— Merci.

Lorsque Blanche Nouille repose le combiné, sa tante Ursula est déjà à ses côtés.

— Et alors ?

Sa nièce lui rapporte la conversation qu'elle vient d'avoir avec l'inspecteur Constantin, ce qui a l'air de beaucoup réjouir la vieille dame. Elle se met à rire de bon cœur, visiblement soulagée.

— Ça ne m'étonne pas, dit-elle, avec un petit ricanement guilleret. C'est exactement pour cette raison que moi, je ne me suis pas annoncée avant de venir chez toi pour ma visite d'inspection. Je suis arrivée à l'improviste !

— En effet, répond Blanche avec un sourire forcé.

C'est alors que sa tante lui saisit la main et la tapote vigoureusement à plusieurs reprises en disant joyeusement :

— N'empêche, quand on s'y met, on fait quand même une équipe du tonnerre, toutes les deux !

Puis elle tourne les talons et regagne la bibliothèque à petits pas pressés.

Tante Ursula m'étonnera toujours... se dit Blanche Nouille en hochant la tête.

❖

Pendant ce temps, dans le camion, Xavier pointe du doigt le téléphone cellulaire que Gaspar tient toujours à la main.

— Je peux vous l'emprunter ? demande-t-il. Moi aussi j'avais un rendez-vous et je suis vraiment très en retard.

Gaspar lui tend l'appareil.

— Merci, dit le jeune homme en le prenant.

Il compose un numéro, attend quelques secondes, puis :

— J'aimerais parler à Jacob, s'il vous plaît.

— ...

— Ah ? Il y a longtemps ?

— ...

— Vous savez où il est parti ?

— ...

— Bon. Merci quand même. Au revoir.

Il rend son cellulaire à Gaspar, puis il se passe la main sur le front.

— Ça ne va pas, Xavier ? lui demande Clara, décidément très perspicace.

— Non, ça ne va pas, admet Xavier. Pas du tout, même. Je devais voir un ami pour qu'il m'aide à préparer un examen. Il m'a attendu une demi-heure et il est parti. Sa mère ne sait pas où il est.

Du coup, les Onariens oublient leur différend pour se préoccuper de leur jeune ami.

— C'est quoi, cet examen ? demande Esbrouffe.

— Des mathématiques ! soupire Xavier.

— Et qu'est-ce qu'il va arriver si tu ne l'as pas préparé ? s'informe Mélinda.

— Je vais le rater lamentablement et mes parents vont me punir en me retirant de l'équipe de foot jusqu'à la fin de l'année.

— C'est ma faute, fait Delphinia en fondant de nouveau en larmes.

— Justement, la rabroue Clara. Au lieu de pleurer, tu devrais plutôt chercher une solution. Ça serait franchement plus utile.

Delphinia réfléchit en reniflant à petits coups. Puis elle se tourne vers Clara.

— Tu pourrais peut-être l'aider, toi ?

— J'y pensais justement… commence Clara.

— C'est vrai ça, s'écrie Esbrouffe. Clara, c'est la championne toutes catégories en mathématiques.

— Je ne sais pas, hésite Xavier. On n'est pas à Onaria, ici.

— Et alors ? dit Clara en haussant les épaules, un peu vexée que son jeune ami semble douter de ses capacités. Les mathématiques, c'est partout pareil.

— Elle a fait les comptes de Blanche Nouille à la perfection, assure Esbrouffe.

— Après que j'ai retrouvé la clé du coffre-fort, ne peut s'empêcher d'ajouter Mélinda avec un grand sourire ravi.

— C'est à notre tour de t'aider, Xavier, lui dit gentiment Delphinia en lui mettant une main sur l'épaule.

Le cellulaire sonne à ce moment-là, et Gaspar s'empresse de prendre l'appel.

— Allô ?

— …

— Tout va bien. Nous l'avons retrouvée saine et sauve.

Gaspar écarte vivement le cellulaire de sa tête. Le cri de joie de Blanche Nouille est si strident qu'ils peuvent tous l'entendre.

— …

— … J'ai essayé, mais la ligne était occupée.

— …

— Tout de suite. Mais…

— …

— Il y a le jeune garçon… Xavier. Il a un

examen de mathématiques à préparer pour demain et...

— ...

— Oui, c'est ce qu'on se disait.

— ...

— Bon, d'accord. Je leur transmets votre proposition, un instant.

Gaspar se tourne vers Xavier :

— Elle aimerait que tout le monde revienne au manoir tout de suite. Elle suggère de vous installer dans l'écurie pour le cours de mathématiques. Elle va préparer un goûter et vous l'apporter.

— Vous savez l'heure qu'il est ? demande Xavier.

— Dix-neuf heures, répond Gaspar après avoir consulté l'écran de son cellulaire. C'est à dix minutes à peine, en camion. Moi, ça me fera plaisir de te ramener chez toi, ensuite.

— Bon, d'accord, fait Xavier.

— On arrive, dit Gaspar au téléphone.

Il range son cellulaire et démarre aussitôt.

Le camion s'éloigne avec, à son bord, des passagers qui ont le sourire aux lèvres et le cœur léger. Sauf Xavier.

Même s'il aime beaucoup la Clairvoyante, il n'est pas du tout convaincu qu'elle pourra, en si peu de temps, faire de lui un as des mathématiques.

Mais au point où il en est, il n'a pas vraiment le choix, et plus grand-chose à perdre…

24

De retour dans l'écurie, les Onariens transportent Frizouille dans un coin tranquille. Le nez dans son édredon, il ne s'est rendu compte de rien et ronfle paisiblement, comme d'habitude.

Ils s'installent ensuite près de la stalle de la vieille jument, qui les a salués d'un hennissement amical à leur arrivée. Sans perdre un instant, Xavier tire de son sac à dos le matériel scolaire qu'il avait apporté en prévision de son cours accéléré avec Jacob Durand-Lachance.

Les Onariens s'assoient en demi-cercle autour de leur ami, Clara face à son élève. Quant à Gaspar, il observe la scène discrètement, un peu à l'écart.

Xavier tend une feuille à Clara.

— C'est l'examen de l'an passé. Le professeur nous l'a donné pour nous aider à nous préparer.

Clara prend la feuille et la parcourt des yeux. Il ne lui faut que dix secondes pour relever la tête.

— C'est tout ? Rien de plus facile. La première réponse, c'est trois heures dix-huit.

Xavier ferme les yeux un moment, désespéré.

— Ce n'est pas ça ? s'inquiète aussitôt Clara.

— Oh ! C'est sûrement parfait, lui dit-il. Mais c'est moi qui ferai l'examen demain. Pas toi. Ce que je dois comprendre, c'est par quel chemin arriver à la bonne réponse…

— Pardon, j'avais mal saisi.

Très gentille, elle se met à lire, à haute voix et lentement, les données du premier problème à résoudre.

— Julie part en voyage.

— Qui c'est, Julie ? demande Delphinia encore un peu boudeuse. D'abord, est-ce que c'est son vrai nom ? Parce qu'on ne sait jamais, hein ?

— Ça n'a pas d'importance, lui répond Clara. Ce sont les chiffres qui comptent, pas les noms. Maintenant, tu ne parles plus et tu me laisses faire. D'accord ?

Delphinia acquiesce, l'air renfrogné, tandis que Clara reprend sa lecture.

— Julie part en voyage. Elle prend le train d'une heure trente-trois. Trouvez à quelle heure elle arrivera à destination si le train voyage à une vitesse moyenne de cent dix kilomètres à l'heure, qu'il fait deux arrêts de…

— Ça n'a pas de sens, cette histoire ! s'écrie tout à coup Esbrouffe, comme si c'était plus fort que lui.

Il faut dire que les trains, il connaît. Pour arriver à Val-Mont-d'Or depuis Supercité – où le Grand Schrapzzz les avait lâchement abandonnés dans le guichet automatique d'une grande banque –, les Onariens ont fait un très pénible voyage en train. Ils se le rappelleront toute leur vie. C'est pourquoi le Blitz a commencé à s'agiter dès qu'il a entendu Clara prononcer le mot train.

Toutes les têtes se tournent vers lui.

— C'est vrai, quoi ! Un train, ça ne se met pas à rouler à toute vitesse d'un seul coup. Ça accélère, avant. Et il n'y a rien de pire qu'un train qui accélère. Ça vous aplatit l'estomac aussi net que si un Urbicon vous avait marché dessus.

Pour ceux qui l'ignoreraient, les Urbicons font partie d'une des trois cent quatre-vingt-huit espèces vivant à Onaria. Ils ont de gros pieds et ressemblent à un vague croisement entre un ours et un rhinocéros, les cornes en moins.

— Tu ne diras pas le contraire, Clara, toi qui as rendu tout ton repas après seulement…

— Mais on s'en fiche, Esbrouffe ! le coupe Clara avec agacement. Si ça se trouve, elle n'est même pas vraie, cette histoire !

Le Blitz ouvre de grands yeux étonnés.

— Ben, pourquoi ils lui demandent de chercher à quelle heure Julie arrivera si elle n'est jamais partie parce que l'histoire n'est pas vraie ?

Je m'excuse de te dire ça, Xavier, mais vous, les humains, vous êtes complètement fous.

Xavier lève les yeux au ciel. Comment a-t-il pu s'imaginer une seconde que les Onariens, même avec toute leur bonne volonté, pourraient lui être d'une quelconque utilité ? Sans rien dire, il commence à remballer ses affaires en faisant des efforts inouïs pour ne pas leur montrer sa frustration. Il a franchement beaucoup de mérite, si on considère que c'est tout simplement la fin du monde qui l'attend.

— Ben, qu'est-ce que tu fais ? demande le Blitz, l'air piteux.

— Merci beaucoup, Clara, dit Xavier. Tu es très gentille de vouloir m'aider, mais je pense que je ferais mieux de rentrer chez moi.

La Clairvoyante lui reprend la feuille des mains avec beaucoup d'autorité.

— Pas question. Tu ne sortiras pas d'ici avant d'avoir tout compris. Quant à vous…

Elle jette alors un regard noir à ses amis et menace d'expulser le premier qui ouvrira la bouche. Tous promettent d'être aussi muets que des anguillettes, ces petits poissons qui vivent dans les étangs d'Onaria et qui, comme tous les poissons d'ailleurs, ne parlent pas.

Quelques minutes plus tard, quand Blanche Nouille entre avec un plateau chargé de nourriture et de boissons chaudes, elle est frappée par l'atmosphère de recueillement qui règne dans l'écurie.

Elle a attendu avec impatience le retour de ses amis et dès qu'elle a aperçu les phares du camion à travers les arbres, elle s'est empressée de leur préparer à manger.

Le tableau charmant qu'elle a devant les yeux en ouvrant la porte l'attendrit tellement qu'il lui tire presque des larmes. Les Onariens ont aménagé une classe en improvisant des bancs et une table à l'aide de balles de foin et de boîtes de bois renversées. Ils ont accroché quelques lanternes aux poutres, afin d'y voir clair. On jurerait une petite école de campagne de l'époque lointaine où son grand-père était enfant.

Son éternel optimisme, mis à rude épreuve au cours des derniers jours, lui revient d'un seul coup comme une grande bouffée de bonheur.

Mais ce qu'elle ignore, c'est qu'en ce moment même, quelqu'un l'observe très attentivement depuis le manoir.

Pourtant, Blanche a pris soin d'ouvrir et de refermer sans le moindre bruit la porte arrière pour que sa tante – toujours plongée dans sa lecture, à l'avant de la maison – ne se rende compte de rien. Mais le courant d'air froid que la vieille dame a senti tout à coup sur ses pieds l'a alertée aussi sûrement qu'une sirène de bateau annonçant le départ d'un transatlantique.

Intriguée de savoir sa nièce dehors alors que les employés ont tous quitté la ferme jusqu'au lendemain et qu'il fait nuit, elle s'est levée pour savoir de quoi il retournait.

Elle s'est approchée discrètement de la porte vitrée et, grâce à la pleine lune, elle a facilement repéré sa nièce, au moment où celle-ci descendait l'allée. Elle l'a vue traverser le jardin et se rendre d'un pas rapide jusqu'à l'écurie.

Au moment où Blanche a ouvert la porte du bâtiment, sa silhouette s'est découpée nettement dans la lumière vacillante des lanternes. À l'intérieur, la tante Ursula aurait juré qu'il y avait du mouvement.

— Qu'est-ce qu'elle mijote encore ? murmure la vieille dame, au moment où la porte de l'écurie se referme.

Bien déterminée à en avoir le cœur net, elle s'habille chaudement et sort dans le noir.

25

—◆—

Après que Blanche Nouille a déposé son plateau de nourriture sur une botte de foin et serré à l'étouffer une Delphinia très repentante, le cours de mathématiques peut reprendre.

Xavier écoute attentivement Clara, tandis qu'elle décortique, un à un et avec une infinie patience, chacun des éléments du problème à résoudre.

Soudain, la porte s'ouvre avec fracas en grinçant sur ses gonds.

Tous les yeux se tournent vers l'entrée de l'écurie où se tient une petite dame ronde à l'air ahuri. Le jour de son arrivée au manoir, Xavier et les Onariens n'ont pu voir de la tante Ursula que ses pieds, puisqu'ils s'étaient cachés sous la table de la salle à manger. Mais au premier regard, ils comprennent que celle qui les observe en ce moment avec beaucoup d'attention ne peut être nulle autre que la redoutable inspectrice.

Le temps semble suspendu. Si on n'était pas au mois d'octobre et que les mouches ne s'étaient pas toutes endormies pour l'hiver, on pourrait les entendre voler.

Blanche Nouille regarde ses amis, sa tante Ursula, Gaspar, puis à nouveau ses amis. Cette fois, il est clair qu'ils ne peuvent pas s'enfuir. Ils restent là, pétrifiés, les yeux rivés sur l'inspectrice avec cet air alarmé et bouleversant qu'ont les animaux pris au piège.

Pendant quelques secondes encore, la vieille dame observe la scène en silence. Rien n'échappe à son regard perçant. Elle remarque les bancs et la table improvisés, les lanternes accrochées de part et d'autre de l'allée. Elle scrute chacun des visages, détaille les traits étranges des Onariens, aperçoit Frizouille qui ronfle un peu plus loin. Son regard finit par s'arrêter sur Clara et Xavier, assis l'un en face de l'autre. Elle voit la feuille que la Clairvoyante tient toujours à la main, de même que le cahier couvert de chiffres posé devant le garçon qui reste là, le crayon en l'air, figé par la peur.

Blanche Nouille, prise de panique, se précipite vers sa tante :

— Laissez-moi vous expliquer.

La tante Ursula ne semble pas l'entendre. Elle repousse doucement sa nièce et s'approche du petit groupe, qui reste parfaitement immobile comme si cela allait suffire à le faire disparaître.

— Ma parole, vous faites la classe ? s'étonne la tante Ursula.

Son visage paraît tout à coup transfiguré. Ses yeux s'agrandissent de plaisir, ses joues se détendent, son front se déride et ses lèvres esquissent un grand sourire ravi.

Blanche Nouille la regarde avec consternation, croyant que sa tante se moque d'eux. Elle croit même deviner la seule et unique raison de ce large sourire : sa détestable aïeule vient de trouver l'argument massue qui justifiera un rapport d'inspection dévastateur et définitif. Elle est anéantie.

— C'est bien ça, dis-moi, Blanche ? insiste la tante Ursula. Vous faites la classe ?

— Oui et non… Je n'ai pas fait une école dans l'écurie, vous pensez bien. C'est seulement que Xavier a un examen de mathématiques demain et qu'il avait besoin d'un petit coup de pouce.

La vieille dame joint les mains sous son menton, et laisse échapper un drôle de petit rire excité. À croire que, si elle n'avait pas quatre-vingt-six ans bien sonnés, elle sauterait de joie.

— C'est vraiment merveilleux ! s'exclame-t-elle avec l'air heureux d'un enfant qu'on a réveillé, la nuit de Noël, et qui découvre une montagne de cadeaux sous le sapin.

— Vous trouvez ? fait Blanche, qui ne comprend absolument rien à ce qui se passe.

La tante Ursula se tourne vers elle et lui prend les mains.

— J'ai toujours rêvé d'être professeur! lance-t-elle comme un cri du cœur. Pendant toute ma jeunesse, ç'a été mon souhait le plus cher. Sauf que notre illustre famille, comme tu le sais, ne nous laisse pas faire ce que l'on veut dans la vie, mais bien ce qui est de mise. Cette vocation pourtant admirable n'était pas encore assez noble aux yeux des Nouille. Alors, je n'ai jamais pu m'y consacrer. On me l'a interdit. On a brisé mon rêve. Pas une seule fois, je n'ai eu la joie d'enseigner, d'aider des enfants à apprendre.

Elle regarde Xavier avec autant de gourmandise que s'il était un gigantesque gâteau au chocolat, puis revient à sa nièce avec un air suppliant.

— S'il te plaît, est-ce que je peux?

— Est-ce que vous pouvez quoi? demande Blanche, abasourdie par les révélations de sa tante.

— Faire la classe à ce jeune garçon.

Xavier n'est pas rassuré du tout.

Oh! non, songe-t-il. *Ce n'est vraiment pas le moment de me prendre comme cobaye pour tester les talents de professeur de la tante Ursula.*

Mais il n'ose pas protester.

— Bien sûr, intervient Clara qui, avec son habituelle intuition, sent que c'est la chose à faire. Nous ne serons pas trop de deux.

La tante Ursula ne se fait pas prier. Elle va aussitôt s'asseoir à côté de l'Onarienne, à qui elle jette un petit coup d'œil complice :

— Vous, vous êtes de l'espèce des Clairvoyants, n'est-ce pas ?

Clara hésite une fraction de seconde, puis acquiesce.

— Quelle bonne idée ! approuve la vieille dame avec enthousiasme. Grâce à leur formation en numérologie, les Clairvoyants sont très doués pour les mathématiques, c'est bien connu.

Blanche Nouille écarquille les yeux, allant de surprise en surprise.

La tante regarde Xavier et lui sourit gentiment.

— Donc, tu t'appelles Xavier.

— Oui, madame.

— Et dis-moi. Qu'est-ce qui ne va pas avec les mathématiques ?

— Je n'y comprends rien.

— Pourquoi ?

— Je ne sais pas. J'essaie très fort de comprendre, mais l'instant d'après, je me mets à penser à autre chose sans même m'en rendre compte. Ça m'ennuie, les mathématiques. Je trouve que ça ne sert à rien.

— Et à quoi penses-tu, quand tu penses à autre chose ?

— Au foot.

— Pourtant, le foot non plus, ça ne sert à rien.

— Mais c'est amusant ! proteste Xavier avec énergie.

— Ah ! Voilà le mot magique ! déclare la tante Ursula. C'est amusant.

— Oui.

— Et si on imaginait les mathématiques comme une grande partie de foot, ça pourrait peut-être devenir amusant aussi...

Xavier ouvre de grands yeux ronds. Il ne voit vraiment pas comment les mathématiques pourraient ressembler, de près ou de loin, à une partie de foot.

— Mais oui, insiste la tante Ursula. Tout en observant les règles, il faut affronter des difficultés, déjouer l'adversaire, contourner des obstacles, et atteindre le but.

Avec l'aide de Clara, elle se met alors en devoir de présenter à son jeune élève une autre vision des choses. Tandis que la Clairvoyante décompose chaque problème qui se trouve sur la feuille et explique les règles mathématiques qui permettront d'arriver aux bonnes réponses, la tante Ursula s'emploie à en donner des exemples concrets et amusants.

Blanche Nouille la voit se métamorphoser sous ses yeux. Elle s'enflamme, elle se passionne, elle gesticule et rit. Ses joues rosissent et son regard brille. Jamais, au grand jamais, sa nièce ne l'a vue dans un état pareil.

Après seulement dix minutes, Xavier est littéralement hypnotisé. La tante Ursula rend les mathématiques aussi passionnantes que le foot... enfin, presque. Elle le fait rire, lui donne des trucs fabuleux.

Et voilà que, peu à peu, à mesure que les minutes passent, il a l'impression de sortir d'un épais brouillard. Il sent qu'il commence à comprendre !

Si bien qu'à la fin de sa leçon, quand il monte dans le camion aux côtés de Gaspar, Xavier n'en revient toujours pas. On dirait qu'une porte s'est ouverte dans sa tête, comme par miracle. Il se sent différent, plus confiant. Il est heureux !

❖

Dans l'écurie, la tante Ursula se lève avec un peu de difficulté. Ses vieilles articulations lui rappellent qu'elle n'a plus vingt ans. Mais elle est radieuse.

— Petite cachottière, dit-elle à sa nièce en lui pinçant affectueusement les joues. Je savais bien que tu ne me disais pas tout. Mais rassure-toi, je ne suis pas fâchée. Je vois que tu l'aimes, ce manoir. Que tu l'aimes profondément. Il est en parfait état. Durant l'été, je suis sûre qu'il y a des fleurs partout et que la pelouse est parfaitement entretenue. Et puis, tu as ces merveilleux amis onariens.

Elle se met à rire.

— Qu'y a-t-il, ma tante? l'interroge Blanche, amusée.

— Dire que j'ai cru qu'il s'agissait des fantômes de la famille Nouille. Quelle vieille toquée je fais! Mais tout de même, c'était bien le manteau de mon défunt Adalbert que j'ai vu dans ma chambre.

— Oui. Je suis désolée que cela vous ait effrayée. J'ai pris la liberté de leur prêter quelques vêtements chauds.

— C'est très bien. À cette époque de l'année, c'est effectivement un peu froid ici pour des êtres habitués à vivre toujours au printemps. Il faut bien qu'ils servent à quelque chose, tous ces vieux vêtements. Au fond d'une malle, ils ne sont pas très utiles, n'est-ce pas?

Elle se tourne vers les Onariens.

— Donc, voilà une Clairvoyante. Et vous vous appelez?

— Clara, madame.

— Et à votre gauche, c'est une Elfe, n'est-ce pas?

— Oui, confirme Blanche. Delphinia.

La tante reconnaît aussi un Blitz et une Malingre. Puis elle plisse les yeux pour voir au fond de l'écurie.

— Et ce vieillard qui ronfle là-bas, tout emmitouflé dans son édredon, je suppose que c'est un Vieuzomme, et qu'il s'est endormi dès le coucher du soleil.

— Vous avez appris très vite, dit doucement Blanche. Car c'est bien *Onaria, le monde parallèle* que je vous ai vu lire dans la bibliothèque. N'est-ce pas ?

— C'est une vraie maladie, ce livre ! avoue Ursula en rigolant comme une gamine. Quand on commence à le lire, on ne peut plus s'arrêter.

— Je sais. Je l'ai lu des milliers de fois.

— Je vais te faire un aveu, dit la tante, une étincelle de plaisir dans l'œil. Ce qui m'intéressait le plus, en fait, dans l'ouverture du coffre-fort, ce n'étaient pas vraiment les comptes. C'était de pouvoir enfin lire ce livre, que ma mère m'avait toujours interdit de toucher. Elle disait que c'étaient les lubies de mon père et qu'il ne fallait pas se laisser contaminer.

La vieille femme hoche la tête, l'air triste, tout à coup.

— Et dire que je l'ai crue. À cause d'elle, j'ai toujours un peu méprisé mon père. J'avais honte de lui. Il était doux, sentimental, et c'était très mal vu dans la famille Nouille. Nous étions riches, nous nous pensions supérieurs. Il fallait donc se tenir droit et ne jamais faire preuve de faiblesse ni d'émotion.

— Oui, je sais, fait Blanche Nouille, l'air sombre.

— Au fond, c'est ma froideur à moi qui a empêché mon père de me montrer tout l'amour qu'il y avait dans son cœur. Sais-tu quoi? J'étais envieuse de toi, Blanche, envieuse de votre complicité. Vous aviez l'air de tellement vous amuser tous les deux, ce qui m'avait toujours été défendu, à moi, quand j'étais enfant.

Soudain, ses yeux s'agrandissent, puis se remplissent de larmes. Elle plonge son regard mouillé dans celui de sa nièce.

— Oh! Blanche. Tout s'éclaire à présent dans mon esprit.

— Ne pleurez pas, ma tante. Vous me fendez le cœur. Qu'y a-t-il donc?

— Je me rends compte que j'ai été en colère toute ma vie. Toute ma vie, j'ai eu envie de mordre et de griffer comme un animal sauvage. Et ça, c'est terrible. Grâce à toi, grâce à ce qui vient de se passer ici ce soir, j'ai enfin compris pourquoi. C'est parce qu'on a brisé mon rêve que je suis devenue aussi acariâtre. Mais il n'est jamais trop tard pour changer les choses, n'est-ce pas, Blanche? Même à mon âge!

— Non, ma tante. Il n'est jamais trop tard.

La tante Ursula prend Blanche Nouille dans ses bras et la serre longuement contre elle.

Les Onariens sont émus. Esbrouffe se dandine en grimaçant, la gorge nouée, Delphinia renifle à petits coups, Clara a les yeux qui piquent, tandis que de grosses larmes roulent sur les joues de Mélinda. Leur seul regret à tous, c'est que Frizouille, parti dans le monde des rêves, ne voit rien de cette scène touchante.

La tante Ursula se ressaisit et se remet à rire.

— Je vais écrire un excellent rapport et je ne dirai pas un mot sur tes invités. Tant pis pour les règles ! Nous allons jouer un bon tour à la famille, toi et moi. C'est tout ce que les Nouille, passés et présents, méritent.

— Oh ! Merci, ma tante, s'écrie Blanche Nouille en la serrant à son tour dans ses bras.

Puis, la vieille Ursula jette un regard complice à sa nièce.

— Pour le reste, ne t'inquiète pas. J'en fais mon affaire !

— Euh… quel reste ? demande Blanche, tout à coup inquiète.

— C'est mon petit secret, fait Ursula en riant.

Elle tourne les talons et quitte l'écurie d'un pas étonnamment alerte.

26

Quand Xavier rentre chez lui, il a une heure de retard. Bizarrement, il est calme et pas du tout inquiet. Il n'a pas peur. Il sait ce qu'il va dire à ses parents. Il va leur dire la vérité… sans dévoiler son secret. C'est possible. Il a trouvé comment. Et il a confiance qu'ils comprendront.

Il ouvre la porte tout naturellement et se dirige sans hésiter au salon. Son père et sa mère sont assis côte à côte sur le divan. Ils ont tous les deux le même regard un peu désespéré, comme s'ils étaient à court d'imagination et ne savaient plus par quel bout prendre le problème.

Il leur dit simplement :

— Il faut que je vous parle.

Ses parents ne disent rien. Ils ne posent pas de questions. Ils attendent qu'il parle.

— D'abord, je vous demande pardon de tout mon cœur. Je n'aurais pas dû me faire passer pour papa. Je voulais tellement sauver Jolina que je n'ai pas vu que c'était mal. Je ne le referai plus jamais. C'est promis. Ensuite, je veux vous dire à quel point vous êtes des parents vraiment super. C'est pour ça que ça me fait autant de peine de vous avoir déçus. Mais c'est fini. Je vais bien à présent, très bien même. Il ne faut plus vous inquiéter. S'il vous plaît. Si j'ai eu l'air aussi bizarre, ces derniers temps, c'est parce que j'essayais très fort de ne pas vous mentir. Mais à un moment donné, c'est devenu vraiment impossible.

— Pourquoi, Xavier? demande sa mère.

— Parce que j'ai un secret à garder. Une… une promesse à tenir. Papa, tu m'as toujours dit qu'un secret, c'est comme un trésor. Parce que la confiance, c'est précieux et qu'il ne faut jamais la trahir.

— Quand c'est un bon secret, précise son père.

— Oh! C'est un bon secret. Je vous le jure sur tout l'amour qu'il y a dans mon cœur pour vous et que vous avez dans votre cœur pour moi.

— Ce secret, dit sa mère, est-ce qu'il a un rapport avec ta nouvelle amie, qui n'est pas Jolina et dont tu ne veux pas me dire le nom?

— Oui. Mais je ne peux pas en dire plus. C'est sûrement difficile pour vous deux, mais faites-moi confiance. Si je vous disais tout, vous comprendriez. Mais après, c'est vous qui seriez obligés de mentir si on vous posait des questions. Quelqu'un m'a dit un jour que les secrets les mieux gardés sont toujours les secrets les moins partagés…

— Nous ne demandons pas mieux que de te croire, Xavier, dit sa mère, pas complètement rassurée.

— Mais il va quand même falloir que tu fasses plus d'efforts à l'école, ajoute son père, pour lui signifier que les règles tiennent toujours.

— Ça, aucun problème. Vous allez voir !

Ses yeux rient tellement que ses parents retrouvent espoir.

Un peu plus tard, ce soir-là, Xavier s'endort en souriant, une minute à peine après avoir posé sa tête sur l'oreiller.

C'est bien la première fois de sa vie qu'il lui tarde de passer un examen de mathématiques. Et ça, c'est déjà un miracle !

27

Le lendemain, à la fin de la journée, la tante Ursula s'apprête à quitter le manoir du chemin des Pâquerettes. Gaspar a déposé ses valises dans le vestibule et Blanche lui a appelé un taxi, car la vieille dame a refusé catégoriquement que sa nièce la reconduise elle-même à la gare.

— Si tu viens, je vais pleurer et il n'en est pas question ! a-t-elle déclaré. J'ai quand même ma fierté. Je reste une Nouille malgré tout. Pas vrai ?

Au moment du départ, quand elle quitte sa chambre et descend le grand escalier, elle semble radieuse.

Elle salue chaleureusement ses nouveaux amis, qui se sont réunis près de la porte pour lui dire au revoir. Frizouille, qui a raté les événements de la veille parce qu'il dormait, n'en revient tout simplement pas de la transformation de l'inspectrice austère et malcommode en cette dame gentille et souriante.

La tante Ursula embrasse affectueusement chacun des Onariens. Elle se tourne ensuite vers Blanche qu'elle étreint longuement en la remerciant. Puis elle lui fait un clin d'œil malicieux.

— Ne t'inquiète pas. Je me suis occupée du reste, comme je te l'avais promis. Il y a bien longtemps que je ne m'étais pas autant amusée !

Blanche Nouille sait que, plus tôt dans la journée, Gaspar a emmené Ursula à Val-Mont-d'Or, mais elle n'a aucune idée de ce que sa tante est allée y faire.

— Je peux savoir ce que c'était, ce « reste » ? demande-t-elle, encore un peu inquiète.

— Oh ! mais bien sûr, fait son aïeule qui semble très fière de son coup.

La tante Ursula se met alors à raconter, dans les moindres détails et avec un plaisir évident, sa virée dans la petite municipalité.

Elle a commencé par se faire conduire à l'édifice du journal *Le Clair Matin* de Val-Mont-d'Or.

Sans même laisser à la réceptionniste le soin de l'annoncer, elle s'est dirigée tout droit vers la salle de rédaction. Elle s'est plantée au beau milieu de la place, les pieds légèrement écartés, les poings sur les hanches, l'œil furibond et le menton tremblant d'indignation. Après tout, Ursula Nouille possède à son actif presque un siècle d'expérience à titre de championne des pimbêches toutes catégories. Rien de plus facile pour elle que de retrouver son mauvais caractère quand le besoin s'en fait sentir.

— Je veux voir le patron de ce torchon que vous appelez un journal, et tout de suite ! a-t-elle tonné, faisant sursauter tous les journalistes présents.

Constance Potvin a immédiatement senti qu'elle était dans le pétrin jusqu'aux oreilles. Elle s'est aplatie comme une crêpe sur son bureau, essayant tant bien que mal de se cacher derrière l'écran de son ordinateur.

Il est sans doute utile de rappeler ici que la tante Ursula, tout comme le reste de la riche famille Nouille, était depuis de nombreuses années connue et respectée de la communauté valmondoroise. Comme par hasard, c'est Albéric Nouille, père d'Ursula et grand-père adoré de Blanche, qui a autrefois vendu le journal *Le Clair Matin* à Gontran De Tonnancour. Et c'est toujours un De Tonnancour, le petit-fils de Gontran, qui en est l'actuel propriétaire.

Celui-ci s'est donc fait un devoir – en souvenir de son grand-père mais aussi parce que la dame était en train de provoquer un véritable scandale – d'inviter dans son bureau cette visiteuse de marque et de la traiter avec tout le respect qu'elle méritait.

À ce moment de son récit, la tante Ursula rit de bon cœur.

— Je lui ai bien sûr raconté en détail l'impolitesse et les manigances de sa jeune reporter. J'aurais voulu que tu sois là, Blanche, pour voir l'air de Constance Potvin quand son patron l'a fait venir à son bureau. Elle avait perdu toute son arrogance. Elle tremblait jusqu'au bout de ses mèches rouges. Elle tripotait son crayon avec tellement de nervosité qu'elle a fini par le casser. Elle a essayé de se justifier, mais elle a plutôt réussi à s'embrouiller complètement dans son histoire. Je vais te donner un scoop, comme disent les journalistes. Cette chipie a été rétrogradée. À partir de maintenant, elle n'est plus reporter. Elle est affectée à l'horoscope. Et pour un bon bout de temps, crois-moi !

La tante Ursula poursuit son récit. Après son passage très remarqué au journal, elle a ensuite rendu visite à l'inspecteur principal, à la Sûreté municipale de Val-Mont-d'Or. Rappelons que celui-ci avait semblé douter de la sincérité de Blanche Nouille, lors de son interrogatoire. Maintenant, il a complètement changé d'avis. Ursula a d'abord très aimablement pris des nouvelles de la maman de monsieur Castonguay, laquelle était autrefois une très bonne camarade d'école. Puis, la dame a pris un air vraiment, vraiment navré en regardant le responsable du dossier de méchanceté juvénile.

— Malheureusement, mon cher petit, a-t-elle fini par dire en lui tapotant affectueusement la main, malgré toute mon amitié pour votre maman, je vais être obligée de... Ce ne serait évidemment pas de gaieté de cœur, mais...

— Quoi, chère madame Nouille? lui a demandé Castonguay, un peu inquiet, car la dame, il en était conscient, a des amis haut placés et beaucoup d'influence.

— Je vais être forcée de porter plainte pour harcèlement si vos inspecteurs mettent encore les pieds au manoir pour embêter ma petite Blanche avec ces racontars ridicules.

L'enquêteur lui a tout de suite promis que plus personne n'importunerait sa nièce. Il verrait même personnellement à faire taire les rumeurs à propos de gens louches qui seraient hébergés chez elle.

Blanche regarde sa tante, ébahie. Pour la première fois de sa vie, elle est franchement ravie d'être la nièce de cette femme de caractère!

— Aujourd'hui, s'exclame sa tante en riant, je me suis servie de mon argent, de mes relations et de ma réputation pour une bonne cause. Et cela m'a fait un bien fou! J'ai rajeuni de trente ans!

Elle fait alors un sourire malicieux.

— En revenant, je n'ai évidemment pas oublié de rendre visite à madame La Tronche.

— Non ! s'exclame Blanche Nouille, stupéfaite du culot de sa tante.

— Oui ! confirme son aïeule. Et tu ne devineras jamais !

— Quoi donc ?

Blanche apprend alors que sa troisième voisine a fait ce matin la une du journal *Le Clair Matin* de Val-Mont-d'Or… mais pas exactement de la manière qu'elle souhaitait. Après avoir téléphoné à Constance Potvin pour lui raconter que des fuyards avaient sauté par une fenêtre du manoir des Nouille, elle s'était empressée de retourner à son poste d'observation. Elle ne voulait surtout rien manquer de la suite des événements. Elle y était toujours quand la petite voiture rouge de mademoiselle Potvin s'était garée devant la résidence.

En tentant de voir qui pouvait bien être cette vieille personne qui avait ouvert la porte à la journaliste, la pauvre femme s'était un peu trop penchée par sa fenêtre. Emportée par le poids de ses énormes et puissantes jumelles, elle avait tout à coup basculé dans le vide depuis le troisième étage de sa maison. Elle se serait sûrement cassé le cou si un grand érable n'avait amorti sa chute. L'arbre lui avait sauvé la vie, mais elle était restée coincée dans ses branches pendant une heure. Des passants l'avaient entendue hurler de douleur – elle s'était cassé les deux

jambes dans l'aventure – et lui avaient porté secours. N'empêche, il avait quand même fallu les pompiers pour la dégager de sa fâcheuse posture. À présent, elle en a pour six bonnes semaines à rester couchée, plâtrée jusque-là, les jambes suspendues par tout un attirail de filins et de barres métalliques.

— Je crois sincèrement qu'elle n'espionnera plus la maison, conclut la tante Ursula. Et puis, je lui ai offert un petit cadeau qui lui a tellement plu qu'elle a définitivement tourné la page sur l'épisode de l'aspirateur. Elle ne t'en veut plus le moins du monde.

— Vous m'étonnez, ma tante, s'écrie Blanche Nouille, sceptique. Moi aussi, je lui ai offert un cadeau. Un bel aspirateur tout neuf! Et pourtant, elle ne m'a rien pardonné du tout.

— Tu t'es trompée de cadeau, ma chérie, voilà tout! Ce n'était pas un nouvel aspirateur qu'il fallait donner à Madame La Tronche, c'était un nouveau chat! Je lui en ai offert un qui est tout à fait irrésistible. Elle a tout de suite craqué!

C'est à ce moment qu'arrive le taxi. Aussitôt les bagages chargés à bord, la tante Ursula prend place sur la banquette arrière, abaisse la glace et saisit les mains de Blanche.

— Je t'enverrai une copie de mon rapport aussitôt que je l'aurai terminé, promet la tante.

— Merci, lui dit Blanche. Et j'espère que vous reviendrez nous rendre visite.

— Tu peux en être sûre, rétorque joyeusement la tante. D'ailleurs, je n'ai pas le choix.

— Ah! bon? fait sa nièce, intriguée.

— Il faudra bien que je te rende le livre. Je ne pouvais pas supporter l'idée de ne pas savoir la fin, alors je l'ai glissé dans mes bagages. Mais je le rapporterai très, très bientôt. Promesse de Nouille!

— D'accord, fait Blanche avec confiance.

Quelques secondes plus tard, la voiture s'éloigne en emportant une vieille dame heureuse qui fait de grands saluts de la main. Une vieille dame qui ne ressemble plus du tout à l'acariâtre inspectrice qui s'était présentée au manoir quelques jours plus tôt.

ÉPILOGUE

———◆———

Un mois s'est écoulé depuis la visite de la tante Ursula.

Dans la salle à manger du manoir, devant une table chargée de victuailles, Blanche Nouille, les Onariens, Xavier, Gaspar et Mathilde sont réunis pour faire la fête.

Et il y a de quoi !

D'abord, la tante Ursula a effectivement envoyé par la poste une copie de son volumineux rapport d'inspection. Il est tellement élogieux que Blanche a rougi de plaisir en le lisant.

Ensuite, Xavier a obtenu pour son examen de mathématiques la meilleure note – et de loin – de sa carrière d'écolier. Il en a récolté une autre, tout à fait honorable, pour son travail sur l'histoire des jeux de ballon, qu'il a courageusement refait. Mais il ne s'en est pas vanté. Il aurait fallu qu'il dise pourquoi il avait dû le refaire et cela aurait trop chagriné Blanche Nouille. Le soulagement, la joie et la fierté de ses parents l'ont amplement récompensé.

— Hum ! Hum ! fait Frizouille pour demander le silence.

Tous le regardent, intrigués. Tourné vers leur hôte, il se tient droit comme un *i* et il a son air grave et solennel des grands jours.

— En mon nom et au nom de mes amis Clara, Mélinda, Delphinia et Esbrouffe, commence-t-il d'une voix remplie d'émotion, je veux profiter de cette occasion pour remercier tout particulièrement notre chère amie Blanche Nouille pour son hospitalité, sa remarquable compréhension du monde onarien et, surtout, pour son grand cœur.

Tous applaudissent avec enthousiasme, tandis que le Vieuzomme sort de sa poche un présent joliment emballé – il a dû y mettre beaucoup de temps – qu'il tend à Blanche Nouille d'une main qui tremble un peu.

— C'est pour moi ? fait Blanche, émue à son tour. Il ne fallait pas, voyons.

Elle déballe le cadeau. Il s'agit d'une bouteille de parfum. Elle fait un petit sourire un peu embarrassé, se reprend tout de suite et remercie chaleureusement ses amis.

— Quelque chose ne va pas ? s'inquiète Frizouille qui a senti le malaise. Ce n'est pas ce qu'il fallait ?

Delphinia, qui est aussi experte en magasinage qu'une Onarienne peut l'être, s'empare de la bouteille et l'examine.

— C'est un parfum pour hommes ! s'écrie-t-elle dans un fou rire.

— Mais... Mais oui... dit Frizouille en s'assoyant brusquement comme si ses jambes flanchaient. Bien sûr. Je n'allais tout de même pas lui acheter un parfum pour chien ou pour chat !

— Je crois que tu as confondu « hommes » et « humains », fait Clara gentiment. Il aurait mieux valu acheter un parfum pour femmes.

Tous se mettent à rire de bon cœur de la confusion du Vieuzomme, sauf Blanche Nouille qui est attristée par l'air désemparé de son ami.

— C'est un magnifique cadeau et une très belle intention, déclare-t-elle. Je suis vraiment très touchée.

Frizouille esquisse un petit sourire piteux avant de s'endormir subitement, en piquant du nez dans l'assiette de gâteau posée devant lui sur la table. Tous constatent alors que le soleil vient de disparaître à l'horizon.

— Ce parfum, propose alors Delphinia avec enthousiasme, nous pourrons retourner au magasin et l'échanger contre un autre. N'est-ce pas, Blanche ? Maintenant que l'enquête est terminée et qu'il n'y a plus d'agents qui gardent la maison d'à côté, nous pourrons sortir à nouveau. C'est bien ce que vous nous aviez promis, non ?

— Absolument, confirme Blanche Nouille avec un sourire. À condition de ne pas trop vous faire remarquer.

Cela rappelle à Clara que le moment qu'elle attend depuis si longtemps est enfin arrivé. Celui où elle pourra discrètement retourner dans la maison de monsieur Lenoir – alias leur ennemi juré le Grand Schrapzzz – pour essayer de retrouver sa boule de cristal.

Elle tourne la tête pour jeter un bref regard vers l'imposante demeure, gagnée par la pénombre grandissante de cette fin de journée de novembre.

Et c'est alors qu'elle aperçoit quelque chose qui lui fait froncer les sourcils. À l'étage supérieur de la maison voisine, elle distingue une lueur.

Une lueur dansante, qui se promène de pièce en pièce...